JN106681

出版翻訳家なんてなるんじゃなかった日記

こうして私は職業的な「死」を迎えた

宮崎伸治

Miyazaki Shinji

まえがき——出版翻訳家の「天国」と「地獄」

ひと昔もふた昔も前、私は〝売れっ子*〟だった。

当時の私には次から次へと仕事が舞い込んできていたため、怒濤（どとう）のごとく訳して訳して訳しまくった。10年近くは休みらしい休みもほとんど取れないくらい忙しく働いた。かくして私は約30冊の翻訳書を出すに至り、その過程でさまざまなことを経験した。

自分の名前が載った翻訳書が書店に並ぶ、胸がキュンとするくらい装丁が綺麗に仕上がっている、翻訳のクオリティーを褒めたたえたファンレターが来る、講演の依頼が来る、著書の執筆依頼が来る、ベストセラーになる、新聞広告がドカンと載る、印税がガバガバ入る……そういう数々の成功経験ができた。

しかし、8年前、私はその世界から完全に足を洗った。

売れっ子
自分で自分のことをこう呼ぶのは気恥ずかしいが、実際にそう称してくれたり、そう扱ってくれる編集者がいた。もう今から15年も前の話である。お世辞とはわかっていたが、それでも嬉しかった。

なぜか？　経験したのは良いことばかりではなかったからだ。
怒りとやるせなさで一睡もできないまま夜を明かした*ことも幾度もあった。
約束していたはずの印税が突然カットされる、発行部数もカットされる、出版時期をずるずる何年も遅らされる、印税の支払いもそれに連動して遅らされる、編集者から知名度の低さを小馬鹿にされる……。この程度のことは日常茶飯事だった。

　自分にはなんの落ち度もないのに出版が中止されたことも何度かあった。1冊のすべてをまるまる訳した後になってからの出版中止だ。大袈裟かもしれないが、それは出版翻訳家にとっては出産間近の「子ども」を堕胎（だたい）されるのと同じくらいの大打撃である。それが原因で裁判沙汰に発展*したこともあったが、いずれのケースでも人間の醜い姿をこれでもかというほど見せつけられた。

　本書では、出版翻訳家として経験してきた「天国」と「地獄」を包み隠さず語ろうと思う。出版翻訳家（およびその志望者）はもちろん、出版翻訳家の生態を覗いてみたいという人や、出版翻訳家には興味がなくても、努力がひょんな形で実ったり、自分の利益だけを追求した人間が最後にもがき苦しむことになったり

一睡もできないまま夜を明かした
怒りで一睡もできない経験は、その真っ只中にあっては耐え難いほど苦しいものだが、過ぎ去った今から思えば、自分の愚かさに気づくきっかけを与えてくれた貴重な経験だった。なんて境地に達するまでには相当な時間がかかった。

裁判沙汰に発展
私とて裁判など経験したいわけではなかったが、裁判沙汰に発展したことは一度や二度ではなかった。本書には裁判沙汰になってから豹変してしまった哀しくも滑稽な人間模様が描きだされている。「事実は小説より奇なり」というが、本書

……といった運命の数奇さに興味がある人にも楽しんでいただけると思っている。

　私が経験した「天国」を読んで出版翻訳家になる夢を抱くのもいいし、「地獄」を読んで「転ばぬ先の杖」にしてもらうのもいい。あるいは、単に読むのを楽しんでもらうのが最高かもしれない。

　それでは私が経験した「天国」と「地獄」を覗いていただこう。「ファンレター天国」「平積みドッカン天国」「次から次へと仕事が舞い込み天国」もあれば、「いきなり印税カット地獄」「重版印税無限カット地獄」「出版日ずるずる遅らされ地獄」「出版間際での出版中止地獄」「きな臭さメール地獄」もある。

　それはもうドラマの連続だ。どうぞご堪能あれ！

の話は吹き出してしまうほど奇々怪々としている。遠目からお楽しみいただきたい。なお、本書の内容は私が体験した事実であるが、人物名はすべて仮名とさせていただいた。

出版翻訳家なんてなるんじゃなかった日記もくじ

まえがき――出版翻訳家の「天国」と「地獄」

第1章 夢の夢の、そのまた夢の仕事

第2章 ミッション：インポッシブル

第3章　これぞ出版翻訳家の歓喜

第4章 そして私は燃え尽きた

装幀◉原田恵都子（ハラダ＋ハラダ）
イラスト◉伊波二郎
本文組版◉閏月社

第1章

夢の夢の、そのまた夢の仕事

某月某日 **デビュー**：「1冊目には宮崎さんのお名前は出ません」

出版社から翻訳書を出す。自分の名前がカバーに載った翻訳書が書店に並ぶ。運が良ければ平積みになる。もっと運が良ければベストセラーになり、大きな広告を出してもらえる。もっともっと運が良ければ雑誌社や新聞社からインタビューを受ける。最高に運が良ければその分野のオピニオンリーダーと目され、著書執筆の依頼が来る。出版翻訳家を目指している人にとって、もうこれは想像しただけでもワクワクゾクゾクものだろう。それだけ翻訳書を出版するというのは夢のある話なのである。

しかしどうすれば出版社から翻訳書が出せるのか。これを知っている人は少ないだろう。私は大学教授からその方法を聞かれたことすらある。それほどその道筋はベールに包まれていてミステリアスなのだ。というのも翻訳家を公募している出版社などまずないし、合格すれば翻訳書が出せるという検定試験もないからだ。

では、私はどうやって出版社から翻訳書を出すに至ったのか。じつを言えば、ひょんなことがきっかけだった。

私は21歳のときに出版翻訳家になる夢を抱き始めたものの、翻訳書出版は夢の夢のそのまた夢。そんな夢物語にうつつを抜かしていても翻訳書が出版できるはずもなく、当然お金も稼げないのだから、働きに出てお金を稼がなければならない。そこで私は大学卒業後に残業が少ないと評判の大学事務職員になった。プライベートの時間をフル活用して翻訳の腕を磨くためである。その後25歳で大学職員を辞めて英会話講師*になり、27歳で企業内の産業翻訳スタッフ*となった。出版翻訳家になることを念頭に次々とステップアップしていったのだ。

そんな私であったが、産業翻訳スタッフになって1年経つころには留学を志すようになった。一生錆び付かない英語力を身につけたいと願うようになったからである。当時はまだ出版翻訳家になれるとは露にも思っていなかったが、産業翻訳家として抜きん出るには留学は必須であることを悟った私は留学資金を手堅く貯め、29歳のときにイギリスの大学院*から入学許可を獲得するに至った。

かくして私は29歳でイギリスに渡ったわけだが、そんな私を待ち受けていたのはカルチャーショックの毎日だった。男女共同の大学寮のトイレにはコンドーム

英会話講師
私は純日本人だが、４年ほど英会話学校に通った末に英会話講師になった。自分の好きな仕事である点や翻訳家になる夢につながる仕事という点で満足度は高かった。実際、多くのネイティブスピーカーと話したことにより英語に対する興味が深まり、翻訳家になる基盤がより強固なものとなった。

産業翻訳スタッフ
産業翻訳とは、契約書、マニュアル、記事、広告文、パンフレットなどビジネスで必要な翻訳のこと。

イギリスの大学院
イギリスには1年で修士号が取得できる大学院が多く存在する。私の場合は青山学院大学での専攻は国際経営学であり、大学院での専攻を言語学に変えたので、修士号取得まで2年を要した。

の自販機が置いてあるし、キャンパス内ではカップルがキスしまくりだし、大学教授は教壇の上に座ってあぐらをかくし、イギリス人はハンバーガーをナイフとフォークを使って食べるし、大学生は昼休憩に平気でビールを飲むし、風邪を引いてマスクしていたら変人扱いしてくるし、ヌード雑誌を買ってみたら女性「そのもの」がカメラに向かって全力投球しているし……。

私は日本では経験できない出来事に遭遇するたびにそれをエッセイにしたため、在英邦人向けの新聞2紙*に投稿した。留学前も雑誌に投稿をするのが好きだったが、掲載される率は日本にいるときと比べればはるかに高かった。

やがてエッセイ執筆は癖になった。自分のエッセイが紙面に載るだけでも嬉しいものだが、さらに謝礼までもらえる。1本あたり日本円にして2000円程度のものだったが、イギリスではその2倍3倍の使い出があったので、いい小遣い稼ぎになった。嬉しいのはそれだけではない。友人の間でも「宮崎さんの投稿、いつも読んでいるよ」と評判になり、編集者には「宮崎さんの投稿が届いたらいつも編集部のみんなで回し読みしているくらい面白いです」と絶賛され、最後には編集部経由で見知らぬ女性読者からファンレターまで来た。読者欄に投稿しているだけなのにファンレターが来たのだ。これはそれくらい私のエッセイは面白

在英邦人向けの新聞2紙
「英国ニュースダイジェスト」と「日英タイムズ」。当時、在英邦人向けの新聞はこの2紙しかなく、購読している日本人が多かったためか、私のエッセイが連載され始めるとたちまち知人友人に知れ渡った。ちょっとした有名人気分を味わい、それが作家になる夢を膨らませることとなった。

いということだ（と私は勝手に解釈した）。これはすごい。こんなの、生まれて初めてだ、ヒャッホーと喜び叫ぶ以外にない。こんな好循環、癖にならないわけがなかった。

そうこうするうち前記2紙から原稿の連載依頼が来た。しかも1紙は署名入り*だった。自分の好きなことを好きなように書いて定期的にお金が入る。しかもそこそこいいお金である。自己顕示欲も満たされるし、自尊心も高まる。編集者にも友人にも誉められる。生きていてこんないいことはない。やがて私は書くことが天職だと確信するようになり、帰国したら専業作家になることを決意した。

そんな希望に満ちた留学生活を終えて帰国した私が真っ先に直面したのは生活費をどう稼ぐかという現実的な問題だった。作家になるという夢は抱いていても、当時の私は原稿料や印税だけでは食べていけなかったから再就職活動を開始せざるをえなかった。再就職のための準備金は50万円あったが、都内に新たにマンションを借り、生活必需品も一から揃えると貯金は瞬く間に底をつき、人生初の借金生活に突入した。やがて借金が10万になり20万になり30万になり40万になり50万円近くまで膨れ上がった。利子だけでも毎月数千円かかるようになると、考えることのすべてが金、金、金……になった。

署名入り　原稿に名前が入ること。留学前にも某機関誌で署名入りのエッセイを連載していたが、そのときは原稿料は出なかった。原稿料ありの署名入りエッセイを連載したのはこのときが初めてであった。

ただ、再就職先を探すといっても、求人誌で目ぼしい会社を見つけても、履歴書を出し、面接を受け、採用に至り、給料が振り込まれるという一連の過程には数カ月はかかる。しかも履歴書を送ったからといって面接まで進むとは限らないし、面接まで進んでも採用されるとも限らない。そうこうしている間にも無情にもお金はどんどん消えていくのだから、その恐怖心を打破するためにも再就職活動をすると同時に各出版社に売り込みをかけた。ほうぼうの出版社に片っ端から電話をかけ、ファックスを流し、手紙を出し、アポイントなしで編集部に突入した。

しかし売り込むには原稿が必要である。そこで私は英語学習参考書用の原稿*、イギリスの大学院時代に英語で執筆した修士論文を日本語に訳したもの*、イギリスの新聞2紙に掲載されたエッセイをまとめたエッセイ集*の合計3冊の原稿を売り込みに使った。さらに成功の確率を高めるために、感銘を受けた原書の一つである「Meditations for Writers」*を日本語に翻訳し始めた。この本は作家になるための指南書であったが、私は留学中に何度もこの本に励まされ、惚れ込むほどになっていた。私は自分が作家になりたいという夢を抱いていたので、その本を訳すことで自分が励まされれば一石二鳥だと思った。ほかにも『7つの習慣』の原

英語学習参考書用の原稿
これはのちに『英語を10倍楽しむ方法』（近代文芸社）として出版された。

修士論文を日本語に訳したもの
これは大幅な修正を加えたのちに『うまいと言われる和訳の技術』（河出書房新社）として出版された。

エッセイ集
連載していたエッセイなどをまとめ、『肌で感じたイギリス』と題して出版をもくろんでいたが、企画出版してくれる出版社は現れなかった。1社だけ「自費出版でなら出せる」と言ってくれた出版社があったが、金欠状態の私にその費用が工面できるわけもなく、それ以来、原稿は眠り続けている。

「Meditations for Writers」
これは翻訳したのちに訳

書など惚れ込んだ原書は数冊あったが、この本を選んで翻訳を開始したのだった。その翻訳原稿と自著用の原稿をA書房*に売り込んだ。すると原稿を送ってから数日後、翻訳出版の相談をしたいのでご足労いただけないかという電話があった。当時の私にとってはこうした連絡があること自体が大きな飛躍である。大喜びで打ち合わせに行くと伝えた。

「Meditations for Writers」の翻訳が4分の1くらい仕上がったころ、その翻訳原稿と自著用の原稿をA書房*に売り込んだ。

指定された日にA書房まで行ってみると、「Meditations for Writers」の訳書は出せないものの、訳文を拝見したところ翻訳の実力が相当ある人だとわかるのでほかの本の翻訳をお願いしたい、ただその前提条件としてトライアル*として5ページほど訳してほしいという。トライアルの5ページ分の報酬はないが、合格すれば1冊の本の翻訳を頼むという。

私は即答でトライアルを受けると答えた。トライアルは複数名が受けると聞かされていたので、下手をしたら私に仕事が回ってこないかもしれないが、人生初の翻訳書が出せるかもしれないのだからトライアルを受けないわけがなかった。それくらい自分の名前で翻訳書を出すことが魅力的に思えた。

書『小説家・ライターになれる人、なれない人』として出版された。当時は2つの真逆のものを対比させたタイトルの本をよく見かけた。たとえば『ものを考える人、考えない人』『勝つ生き方、負ける生き方』『原稿を依頼する人、される人』『勝つ投資、負ける投資』など。実際そのようなタイトルでベストセラーになったものもあった。編集者にもベストセラーのタイトルを「真似たがる人、真似たがらない人」の両方がいる。

A書房
当時、都心の某高層ビルの中に所在していた中堅出版社。セミナーや講演会も開催していた。同社の社長名で出ている書籍がやたらと多いのが印象的だった。

トライアル
出版した訳書の点数が少

トライアルの訳文をA書房に郵送すると、数日後には電話があり、出版を前提とした打ち合わせをしたいので来てくれという。

(やった、とうとう人生初の翻訳書が出せるぞ!)

ところが、喜び勇んで打ち合わせに行ってみると、40代とおぼしき男性編集者がこんなことを言い出した。

「翻訳のクオリティーは十分レベルが高いもので安心しました。ぜひ1冊翻訳をお願いしたいのですが、今回のこの本は弊社の社長の訳者名で出ることになりますので、それはご了承ください」

(にゃに〜。そんなの聞いてない。社長の名前で出るんだったらトライアルを受ける前に言ってくれよ)

と思いながら、こう言い返した。

「それは聞いていませんでしたが……」

「弊社では、翻訳を初めて依頼する人にはみな、最初の1冊は社長の名前で出させてもらっているんですよ」

(なるほど、道理で社長の名前で翻訳書がたくさん出ているわけだ)

「社長は監訳者とかではなく訳者として名前が載るってことですか」


ない人が、まだ付き合いのない出版社から初めて翻訳の仕事を依頼されるとき、トライアルを求められることがある。翻訳のクオリティーがどの程度なのかが編集者にはわからないのだからむしろこれは当然ともいえる。

トライアルは複数名が受ける
ある本の同じ箇所を複数名が訳すと伝えられていた。私は仕事を勝ち取るために推敲に推敲を重ねて出したが、のちに聞いたところによれば、「誰が一番良い訳かは優劣がつけられなかった」ということだった。

「そうです」
「私の名前はどこにも載らないのですか」
「少なくとも1冊目には宮崎さんのお名前は出ません。でも1冊目にきちんと仕事をしてもらえれば、2冊目からは晴れて宮崎さんの訳者名で出ます。それが嫌ならこちらも考えさせてもらいます」
（むむむ。もしも私が嫌だと言ったら、今回の翻訳の話は消えてなくなるのか。こういう言い方をしているのだから、おそらくそういう意味で言っているのだろう）

私はゴーストライター*の存在意義は否定するつもりはない（翻訳書の場合は「ゴーストライター」というより「ゴースト翻訳」といったほうが正確かもしれない）。しかし私に「ゴースト翻訳」をさせたかったのなら、なぜ最初からそう言ってくれなかったのか。すでにトライアルを終えた後になってそんなこと言われても、立場の弱い人間は反抗することなどできっこないではないか。

だが金欠状態だった私はそれでも引き受けることにした。なにしろ1冊訳せば約150万円の翻訳料*が入ってくるのだ。150万円は大きい。半年は食いつなげる。当時の私には喉から手が出るほどの話だ。しかもうまく行けば（といって

ゴーストライター
書籍や記事などの代作をする著作家のこと。現在でもビジネス書などではわりとよく用いられるという。

約150万円の翻訳料
買取契約でこの金額を提示された。印税契約とは

も、うまく行くかなんてわかったものではないが）2冊目からは私の訳者名で翻訳書が出せる。このチャンスを逃すわけにはいかない。私は自分の可能性に賭けることにした。

それから4カ月の間、私は必死に翻訳に取り組んだ。「2冊目からは晴れて宮崎さんの訳者名で出ます」という編集者の言葉だけが私を支えていた。

やがて翻訳を終えて提出し、初校ゲラチェック*も終わり、再校ゲラチェックも終わり、三校ゲラチェックも終わった。何もかも順調だった。

三校ゲラを提出して数日後、編集部からこんな電話があった。

「今回の翻訳書ですが、宮崎さんのお名前をお借りして出してもよろしいでしょうか」

「それは私としてはありがたい話です。もちろんいいです」

「了承してくださって、ありがとうございます」

「でも社長の名前で出すって聞いていましたが、それはどうなったのですか」

「じつはですね、編集部でもいろいろと話し合いまして、いつもいつもそうやって社長の名前で出していたら翻訳家が育たないから、きちんと訳者の名前を立てて出そうってなったんです」

異なり、買取契約の場合は、報酬ができあがりの訳文400字×翻訳レートで計算されるので、本が厚ければ厚いほど報酬は高くなる。ただし、買取契約の場合、本が売れて増刷になったとしても追加の支払いは生じない。

ゲラ
「ゲラ刷り」の略で校正刷りのこと。1回目のゲラを「初校ゲラ」、2回目を「再校ゲラ」、3回目を「三校ゲラ」、4回目を「四校ゲラ」……と呼ぶ。たいてい三校ゲラがラストとなる。

「じゃ、間違いじゃないのですね。私の名前で出るのですね」

「間違いないです」

合意内容が後になってから変わるという場合、ほとんどの場合、翻訳家にとって悪いほうに変わるものだが、このときだけは良いほうに変わった。本当だったら私は「下訳者*扱い」だったものが、下訳を一度も経験せずに「上訳者*」としてデビューを果たすことになったのだった。

どうしてこんな展開になったのか自分なりに考えた。翻訳のクオリティーを自負している私は、もしかすると手直しが必要な下訳者レベルのクオリティーだったら社長の名前で出そうと思っていたところ、手直しが必要のない上訳者レベルのクオリティーだったから、その褒美で私の名前で出させてくれたのかなぁと思った。本当のところはわからないが、そう思うことにしよう。思うだけなら何を思っても私の自由なのだから、どうせなら愉快なことを思おうではないか。

こうして私の初めての翻訳書が世に出た。まさにひょんなことから翻訳書を出せることになったのであった。

発売初日に書店に行ってみると10冊平積み*にしてくれていた。すごい、私の名前が載った訳書が出ている。しかも10冊もだ。

下訳者
おおまかに翻訳をすることを「下訳」といい、その作業を行なうのが下訳者。翻訳家として独り立ちしていると見なされていない場合は、下訳を依頼されることもある。

上訳者
ひとりで商品になる訳文に仕上げることができる翻訳者。一人前の翻訳者といっていい。

平積み
書店の平台と呼ばれる場所にカバーデザインが目に入るように重ねて置かれること。一方、背表紙だけが目に入るように棚に並べられることを「棚差し」という。もちろん平積みのほうがスゴイ。

さらにその数日後には知人女性から電話がかかってきた。私の訳書を書店で見て驚いたそうだ。電話口から「宮崎さんってすごいじゃないですか〜、本を出すなんて〜。おめでとうございます〜」という黄色い声が聞こえてきた。13年間も下積みに下積みを重ねて翻訳の実力を培ってきた私には、ひょんなことからこういういいことが生じるのだ。わっはっはっはっ、これでいいのだ。

某月某日

翻訳の醍醐味：惚れ込んだ原書を売り込む

A書房から出た翻訳書は私にとって初めての翻訳出版であったから、それはそれで嬉しいことだった。内容も良い本だったし、装丁*も上品で綺麗だったし、翻訳料として150万円ももらったし、知人女性から黄色い声援もかけてもらったし、当時の私にとっては最高の思い出ではある。

ただ、その翻訳書は私がもともと惚れ込んでいた原書を訳したものではなかった。出版社からの依頼で翻訳することが悪いわけではないが、やはり翻訳の醍醐味は自分が惚れ込んだ原書を訳す*ことだと私は思う。惚れ込んだ原書を訳すとき

装丁
本を綴じて表紙などをつける作業を指すが、一般的にはカバーデザインのこと。これには翻訳家は一切タッチしない。できあがってみて初めてどんな装丁だったかを知る。

は「この原著を自らの手で訳して日本人読者に届けよう」という熱い気持ちが魂に宿る。だからお金のためだとか名声のためだという感覚は生じないし、それだけ純粋に翻訳作業に取り組める。一方、出版社からの依頼で翻訳する場合、どうしても仕事感がぬぐえない。たとえ内容の良い本であっても、である。これが私の率直な感想だ。

では、自分が惚れ込んだ原書を訳して出版するにはどうすればいいか。ここでは私が初めて自分が惚れ込んだ原書を売り込んで企画を通した経験をお話ししようと思う。

じつはA書房以外にB書院*にも「Meditations for Writers」の翻訳原稿と自著用の原稿を売り込んでいたのだった。勝手に原稿を送っただけだったから返事は期待しておらず、案の定、何カ月経っても梨のつぶてだった。ボツにされることはすでに慣れっこになっていたので気にとめることもなかったし、数カ月後にはすっかり忘れてしまっていた。

しかし物事がどうなるかは神のみぞが知ることである。売り込んでから1年が過ぎたころ、突然、B書院から電話がかかってきた。預かっている2冊の原稿のうちひとつを企画として出版したいが、どちらを出版するかまだ決まっていない

惚れ込んだ原著を訳す
私は留学中に200冊程度の原書を読んでいた。そのうち惚れ込んだ原書は5、6冊あった。そのうち『7つの習慣』の第2弾、『小説家・ライターになれる人、なれない人』『理想の自分になれる法』『幸福になる関係、壊れてゆく関係』が訳書となって出版された。

B書院
大学の教科書や、専門書、医療・医学関係書籍をメインに刊行している出版社。実用書やサブカル本なども出版していた。今回あらためてネット検索してみると関連ワードの1番目に「パワハラ」と出てきた。何があったのか調べてもその真偽は不明。ネットの恐さである。

ので正式に決まったら再度連絡するという。1年も放置されていたので、とっくに捨てられてしまったのだろうと勝手に思っていたが、編集者の机の中にでも埋もれたままになっていたのだろう。それが突如企画出版の対象になったことを知り、へぇ〜、そんなこともあるのかと心底驚いた。

エッセイ集と翻訳書のうち1冊を企画出版してくれるという。ありがたい話である。ただ、私としてはエッセイ集のほうを出版してもらいたかった。というのもそれは自著だし、すでに1冊分の原稿を提出していたからである。しかも著書のほうが訳書よりも印税率が高い*からである。

一方、「Meditations for Writers」の翻訳原稿のほうは全体の4分の1しか訳していなかったので、もし企画が通ったら残りの4分の3を訳さなければならない。しかも翻訳期間は1カ月しかもらえない。そのハードさを考えると、翻訳書ではなく自著のほうを出してもらうほうが楽だったのである。

数日後、翻訳書のほうを出すことが決まったと連絡があった。出版が決まったのだから嬉しかったことは嬉しかったのだが、有頂天になれなかった。というのもその連絡が暗に「エッセイ集のほうはボツ」を意味していたからだった。ただ、せっかく出版してくれるというのに嫌そうな声も出せるはずはない。私は心から

著書のほうが訳書よりも印税率が高い
当時の私は著書は10%、訳書は7~8%のことが多かった。出版不況が騒がれ始めると徐々に印税率は下げられていき、著書は9~10%、訳書は5~6%で依頼されることが多くなった。

喜んでいるふりをして翻訳書出版を了解し、その日からただちに残りの4分の3の翻訳作業に取りかかった。

　有頂天にはなれなかったものの、しかし物は考えようである。私は生まれて初めて翻訳書の企画を通したのだ。そう考えれば、将来は明るくなったともいえる。いやいや本当に明るくなった。というのも私は翻訳書の売り込み方を学んだことになるからである。だからこの際、エッセイ集がボツになったことは考えまい。あれはもともとなかったと思うのだ。そんなことより翻訳書の企画が通ったことを素直に喜ぼうではないか。

　数カ月後、その本は出版された。爆発的に売れることはなかったが、重版にはなった。担当編集者は重版になったことを喜んでくれたが、私がもっとも嬉しかったのは読者から「素晴らしい本を読みやすく訳して紹介してくれてありがとうございます」という主旨のファンレターが届いたことだった。自分が惚れ込んだ原書を訳して出し、共感してくれる読者からファンレターが届く。これは出版翻訳家である私の最高の喜びだが、その「天国」をそのとき初めて味わったのであった。

某月某日　**原稿カット**：「3つのエッセイを1つにまとめてくれる？」

翻訳原稿が大幅にカットされて薄い本として出版されるというのは、たとえていえば、お腹が空いていない人にフルコースのディナーを作らされて、おいしいところだけちょちょっとつまみ食いされ、大半の料理は手付かずにされるような感じだ。料理人がそんなことをされたら、「食べるものだけ注文しろよ！」とか「腹を空かせて来いよ！」と怒鳴りつけたくなるだろう。それと同じで、翻訳文を7割もカットするのなら「本に収録する箇所だけ翻訳の依頼をしろよ！」と言いたくなるものだ。

B書院からまだ「Meditations for Writers」の翻訳出版が決まっていなかったころ、私はCセラーズ*に売り込みの電話をかけ、同書の翻訳原稿を翻訳書担当の女性編集者にも送っていた。

翻訳原稿を送ってから数日後に彼女に電話をかけてみると、その本は読者が限定されるため売れないから、類書で読者が限定されないものがあれば出版を前向

Cセラーズ
かつて某プロ野球選手や有名占い師のベストセラーを出していた出版社。当時は雑誌も発行していた。

きに検討すると言う。

気を良くした私はさっそく、めぼしい本を探し始めた。その後、類書を見つけた私はその旨彼女に電話で伝えると、出版を前提として考えてもいいのでその前にトライアルとして５ページほど訳してほしいと言う。トントン拍子で話が進むことに舞い上がった私はトライアルを受けることにした。

そしてこれまた順風満帆なことにトライアルの訳文を出したら数日後に電話がかかってきて、出版することが決定したので打ち合わせに来てくれと言う。たまたまタイミングが良かったのだと思うが、恐いぐらいに物事が順調に進んだ。

数日後に打ち合わせに行ってみると、彼女はすぐに鞄からある本を出して私に見せた。それは装丁の美しい小型の翻訳書だった。内容はわからないが、装丁の美しさだけでついつい買ってしまいたくなるような新規なデザインだった。

「このシリーズの本が売れているのよ。なかなかいい装丁でしょう。今回宮崎さんの本もこのシリーズに組み込もうと思っているの。だから最終的には薄い本になるけどいいですか」

そのシリーズで出るということは、おそらく装丁も同じデザイナーなのだろう。こんな綺麗な装丁で出せるのかと思うとそれだけでワクワクドキドキし始めた。

薄い本だろうがなんだろうがなんでもいい、出せればいいのだ出せれば。駆け出しの翻訳家にすぎない私が編集者に盾突くはずはない。

「はい、その辺はおまかせします」

「で、この本、分厚い本だけど全部訳してもらえる？*　訳文を見てから、いいところだけをこちらで抜粋させてもらうから」

分厚い本を全部訳すというのは翻訳家にとっては重労働である。逆に訳す箇所が少なければ少ないほど翻訳家の負担は軽くなる。そこで私はアメリカ滞在歴4年だという彼女に恐る恐るこう提案してみた。

「英語の段階で抜粋してもらうってこと、できないでしょうか」

「それは無理。だって私、英語読めないもん。アメリカから帰ってから英語の勉強しなきゃって、やっと最近英語の勉強始めたってくらいだもん」

彼女の半分しか英語圏に住んでいないのに英語が読めるだけでなく翻訳もできる私に多少なりともリスペクトは払ってくれているのかなぁ、なんて思いながらも私はこう提案した。

「じゃあ、どんな内容かがわかるようにラフな翻訳をしますので、ラフな翻訳の段階で抜粋してもらうってことできませんかね」

全部訳してもらえる？
最初から大幅にカットすることが決まっている場合でも、「とりあえず全部訳してもらえる？」と依頼する編集者は多い。この本の前に出した「Meditation for Writers」の訳出のときも、あとで何割かはカットすることになると伝えられた上で翻訳を開始し、実際、何割かはカットされた。しかしカットされたことをまったく苦に思わなかったのは、自分が惚れ込んだ作品だったからだと思う。「金儲けや実績作りのための仕事」と「やりたくてやる仕事」はこうも違うのだ。

私が翻訳するとき、まずは辞書も引かずにささささっとラフに翻訳する。これに費やすエネルギーは商品としての訳文に仕上げるまでの全エネルギーの3分の1である。その後ラフな訳文を4回から5回推敲して商品として仕上げる。内容だけがわかればよいのであれば、ささささっと訳したラフな翻訳の段階で判断してもらえれば、私が費やす時間とエネルギーが3分の1で済むのだ。

しかし彼女は無情にもこう返してきた。

「やっぱ、ラフな翻訳だったら、その作品の良さってわからないじゃない。ちゃんと全部訳してよ。いいでしょ」

そう言われてしまっては反抗できない。駆け出しの翻訳家の私は反抗する術など持ち合わせてはいない。

「わかりました。全部きちんと訳します」

「で、これ、どれくらいで訳せる？　2カ月くらい？」

原著は文庫本のような小型の本だった。しかし小型の本だからといって文字数が少ないわけではなく、文字自体も小さいわけであるから英文の量は大型の本と同じなのだ。彼女はそれを知ってか知らずか、小型の本だからすぐに訳せるとでも思っているかのように軽々しく聞いてきたのだった。

「でもこの本、1ページ1本のエッセイが366ページありますよね。2カ月といったら60日ですよね。そうなると1日あたり6ページ訳さなければならなくなるので難しいと思います。もう少しお時間いただけないでしょうか。4カ月くらいだったらなんとか訳し終えると思いますが」

「じゃ、4カ月ね」

こうして私に与えられる翻訳期間が4カ月と決まった。最初2カ月で訳してほしいと言っていたのに、そんなに簡単に4カ月に延ばしてもらってもいいのか、そんなにスケジュールって簡単に変えられるのか、という疑問も湧いてきてはいたが、まあ、そんなことは封印しておこう。4カ月もらったのだから4カ月で訳せばいいのだから。

私は出版が決まったらすぐに仕事を始めるタイプである。そのときもさっそくその夜から翻訳に取りかかった。4カ月の期間をもらったことが正解だったことは翻訳し始めてわかった。とても2カ月では訳せる代物ではなく、フル稼働でなんとか4カ月で終わる分量だったのだ。

4カ月後、私は締切を守り、宅配便で訳文を彼女に送った。

数日後に打ち合わせに行くと、彼女はいきなりとんでもないことを言い出した。

「これらの366本のエッセイの中から、特に面白いと思えるエッセイを100本から110本くらい*選んでコンパクトな本として出そうと思っているのよ。ただね、ひとつひとつのエッセイが短めなので、同じような内容のエッセイ2本から3本をひとつにまとめようと思っているの。たとえば、配偶者に関するエッセイなら配偶者に関するエッセイ2本か3本をひとつのエッセイとしてまとめ、運命に関するエッセイなら運命に関するエッセイ2本か3本を1本のエッセイにしてまとめといった具合にね。そうすればひとつあたりのエッセイがちょうどいい長さになるのよ」

（にゃに〜。エッセイ2本か3本をひとつのエッセイとしてまとめるだって？それはたとえていえば、2つの4コマ漫画をひとつにまとめて8コマ漫画にするというのと同じようなことだ。そんなことできっこない。これは日本語で書かれた日本語のエッセイじゃなくて翻訳文なんだよ。ひとつの4コマ漫画は4コマの中で「起」「承」「転」「結」をやっているのであって、ふたつの4コマ漫画をひとつの8コマ漫画になんてできっこない。「起」「起」「承」「承」「転」「転」「結」「結」とでもしろというのか、バッカバカしい。まあ、それが編集者としての腕の見せ所とでも思っているのならやってもらおうじゃないか。いいよ、なんだっ

＊100本から110本くらい
「薄い本になる」とは聞いていたものの、このとき初めて翻訳原稿の約7割がカットされることに気づき、カット比率の大きさに驚愕したのだった。

てやってくれよ、こっちは翻訳書が出ればそれでいいんだから）

心の中ではドン引きしていたが、そんなことはおくびにも出さずにこう言った。

「わかりました。では、ゲラができあがるのをお待ちしています」

さて、どんなゲラができあがるのか。お手並み拝見だ。やれるものならやってみろとゲラができあがるのを楽しみに待っていたのだが、1カ月経っても2カ月経っても3カ月経ってもなんの音沙汰もない。このまま出版中止にされるのではないかと恐れた私は彼女に電話をかけてみた。するとこんなことを言うではないか。

「ごめんなさい。ここのところ忙しくて、いただいた訳文、まだ読んでいないのよね。宮崎さん、時間があるんだったら、内容が似通ったエッセイをひとまとめにするということを念頭に100本か110本か選んでみてくれない？　できれば2つか3つのエッセイをひとつにまとめるという作業もできる範囲でやってもらったらありがたいんだけど」

（にゃに～。3カ月あっても訳文すら読めないくらい忙しいのか編集者は。あなたは最初、私に2カ月で翻訳してくれって言っていたよね。そのあなたは3カ月もあっても訳文を読むことすらできなかったの？）

が、ここで反発しても物事は進まない。仕方がないので私が編集作業もやることにした。

かくして私はその後2カ月間フルタイムでその編集作業をやる羽目になった。

2つか3つのエッセイをひとつにまとめるという作業は、やってみない人にはわからないだろうが、土台無理な話である。できそうだという人がいれば、一度試しに2つの4コマ漫画をひとつの8コマ漫画に並び替えてみてほしい。そんなことできっこないし、そもそも原著者に無断でそんなことすれば著作権法*違反になる。できないというより、やってはいけないことなのだ。

私は、やむなく2つのエッセイをそのままくっつけることにした。つまり「起」「承」「転」「結」の後に1行スペースを入れ、その後にもうひとつの「起」「承」「転」「結」を置いた。これならまあ読める。というより、こうするしかないのだ。

編集作業が終わって原稿を彼女に送付すると、彼女から怒りの電話がかかってきた。

「宮崎さん、何よあれ、私が言っている意味がわからなかったの？　宮崎さんがやっていることは、単に2つのエッセイをくっつけているだけじゃないの。私が

著作権法
文筆家や翻訳家になりたい人は著作権法を勉強しておくことをお勧めしたい。これは自分の身を自分で守る意味でも大切なことである。私は「ビジネス著作権検定上級」「知的財産管理技能検定」を受験し合格した。これらの検定試験を目指して学習するのもいいだろう。

お願いしていたのは、２つなり３つのエッセイを融合させてひとつのエッセイにするってことよ」

「おっしゃることはわかっていました。でも、それって結構難しいことなんですよ」

「何よ、手を抜いただけの話でしょ。いいわ、わかったわ。じゃあ、私のほうでひとつ見本を見せてあげる。少し待ってて。どういうふうにすればいいか教えてあげるから。できたらファックスするから」

「それではお待ちしております」

ものすごい上から目線の発言である。しかし私は腹が立たなかった。むしろ、これは面白いことになったと思った。そもそもそんなことなんてできっこないのだ。それなのに「私がお手本を見せてあげる」って言っているのだ。それならこっちはお手並み拝見だ。できるものならやってもらおうではないか。

しかしその後、１カ月経ち、２カ月経ち、３カ月経ったが、彼女からファックスが送られることはなかった。

（ほれみろ、できないだろう？）

しびれを切らした私は彼女に電話してみた。

「例の私の翻訳書ですが、その後、いかがでしょうか？」

「ごめんなさい。ここのところ本当に忙しくって。ゲラがそろそろできあがるので、できあがったら送りますね」

（にゃに〜。融合するんじゃなかったのか。お手本を見せてくれるのではなかったのか。お手本も見せずに勝手にゲラを作ったのか？）

数日後、送られてきたゲラを見てみると、私が提出した原稿がそのままゲラになっていた。つまり「起」「承」「転」「結」１行空白「起」「承」「転」「結」はそのままで、彼女が望んでいたところの「２つか３つのエッセイを融合してひとつのエッセイにまとめる」という作業は何ひとつ行なわれていなかった。

かくして翻訳期間４カ月、編集作業２カ月、合計６カ月の作業の末、私の本は薄い小型の本として出ることとなったのだった。

後日、この翻訳書をある編集者に送ったら、数日後に電話がかかってきてこんなことを言う。

「宮崎さん、薄い本を訳しましたね。宮崎さんは薄い本が専門ですか」

あんなに厚い本を訳して、さらに編集作業も２カ月もかけてやったのに「薄い本が専門ですか？」か。一瞬、なんて質問をしてくるんだとは思ったものの、それが彼の率直に聞きたかったことなのだろう。怒らない怒らない。
「いえいえ、別に薄い本が専門っていうわけではないのですが……」
こう答えるのが精一杯だった。

某月某日 **見本日の悲劇：「喫茶店までお越しください」**

コツコツコツコツコツと来る日も来る日も一人孤独に耐えに耐えて翻訳にのめり込み、ゲラチェックして、さぁ〜、出版されるぞ！ となることほど翻訳家にとって待ち遠しいものはない。特に見本書籍*ができあがる日というのは、翻訳家にとっては自分の「子ども」が生まれる日でもあるから、嬉しくないはずがないのだ。どんな装丁なのかなぁとか、実際に手に取ってみるとどんな感じなのかなぁとかワクワクワクワクしながらその瞬間を待っているのだ。

ところがどっこい、見本書籍ができあがった日に印税の引き下げが決定するというバッカバカしい事件が起きた。これは前述のCセラーズの「原稿の7割カット」話の続編である。

見本書籍
最初に仕上がった見本品のことをいい、著者や訳者、デザイナーなどの関係者に配られる。私の経験では10冊贈呈されることが多かった。

見本書籍は、通常、刷り上がったら宅配便で自宅まで届けてくれるものなのである。担当編集者も「見本書籍が刷り上がり次第、宅配便でお送りします」と言っていたのである。

ところが摩訶不思議なことに、見本書籍が刷り上がる数日前、自宅に帰ってみると、担当編集者から次のようなファックスが送られてきていた（当時はまだメールという便利なものは存在しなかった）。

「見本書籍が刷り上がったら、直接、手渡ししたいので、○月△日の午後×時に、いつも打ち合わせしている喫茶店までお越しください」

いったん「宅配便で送る」と言っておきながら、なんでまた急に「手渡ししたい」などと言ってきたのか。しかも携帯電話にもかけられるのにかけてこず、固定電話に留守番メッセージも残せるのに残さず、ファックスを流してきているのである。それまでファックスなど流してきたことなど一度もなかった彼女が今回に限ってなぜかファックスを流してきたのだ。一方通行的なコミュニケーションのなんと不気味なことか。

が、当時の私はまだ新人も新人、まだ業界のイロハも知らなかったから、10歳以上は年上に見える担当編集者に向かって「宅配便で送っていただければそれで結構ですよ」なんて言い返す度胸はなかったし、「なぜ手渡ししたいんですか」なんて野暮な質問もできっこなかった。わざわざ見本書籍を取りに出かけるのは時間も電車賃ももったいないと思ったが、新たに生まれる「子ども」にいち早く会えるのだから、それを楽しみに行けばいいじゃないかと自分に言い聞かせて、素直に指定された日時に指定された喫茶店に行くことにしたのだった。

当日、指定された時間より30分以上も前に喫茶店に着いて店内で待っていると、しばらくして担当編集者が暗い表情をして入ってきた。その表情を見た瞬間、いい話ではないことはすぐにわかった。

彼女は席に着くなり、見本書籍10冊が入った紙袋を私に渡しながらこう言った。

「はい、これ、見本」

受け取った紙袋からワクワクドキドキしながら見本書籍を取り出していると、彼女は続けてこう言いのけたのだった。

「で、ですね、申し訳ないんですが、印税は6％と言っていましたけど、4％しか払えなくなったんですよ。私は上の者とも何度も何度もかけあったんです。この原書はものすごく厚い本だし、翻訳がたいへんなだけでなく編集作業も相当時間がかかったってね。だから印税を下げるのはかわいそうだと何度も言ったんだけど、どうしても理解が得られなかったんです。本当に申し訳ない。４％で了解してもらえませんか。ただ、重版になったら重版分からは６％は約束しますから。それは絶対です」

（にゃに〜。「見本書籍を手渡ししたいから」というからわざわざ時間も電車賃もかけて出てきたというのに、私が半年以上もかけて仕上げた書籍に対しては何一つコメントをせずに、いきなり印税を下げるっていうのか。「手渡ししたい」理由は電話やファックスではそれを了承させるのが無理だと思ったからか。それで直接会いたいと言ってきていたのか。あ〜あ、バッカバカしい。そんな話なら、最初からこんなところにのこのこやって来るんじゃなかった。「宅配便で送っていただければそれで結構ですよ」って言ってやればよかった）

だが、来てしまったものは来てしまったのだ。来てしまっている以上、いまさらどうしようもない。まったく想定していなかった事態に私はどう対応していいかわからず、しばらく絶句していた。彼女は次から次へと弁解を続けた。

「ただね、よく考えてみて。私、最初、初版発行部数は１万２０００部*って言っていたでしょ。それが１万５０００部に増えたわけだし、定価*もともと言っていたより１００円上がったのよ。そう考えると、結局、総額としては、最初に

初版発行部数は1万2000部
私の場合、当時、四六判の著書は8000部〜1万部、四六判の訳書は6000部〜8000部が多かったが、新書版や文庫版など小型の本の場合は部数が増え、1万5000部前後だった。この本も小型の本だった。

定価
定価をいくらにするかは著者・訳者は口出しできない領域である。通常、発行日の数週間前には正式決定された定価を教えてもらうことになる。

言っていた金額とあまり変わらないのよね」

　それも彼女特有の屁理屈だった。彼女はもともと「初版発行部数は1万2000部から1万5000部」と言っていたのであって、「1万2000部」とは言っていなかった。だから初版発行部数は「増えた」のではなく「当初予定していた範囲内」に留まったのだ。なのに彼女は印税カットを了承させたい一心で「初版発行部数は1万2000部の予定だったのに1万5000部に増えた」と見え透いた嘘をついた。しかも定価が100円上がったといっても、総額は当初予定されていた額のほうがはるかに多い。何をどう計算しようが、印税を3分の1もカットしたら総額がガクンと下がるのは当たり前だ。彼女は、きっと自分のお金がカットされたら1万円でもヒステリックにギャーギャー騒ぐだろうが、カットされるのが私のお金だから、数十万円であっても痛くも痒くもないのだ。神妙な顔つきはしているが、心の中ではなんとも思っていないに違いない。なにしろ所詮他人事(ひとごと)だ。本当に私のことを可哀想だと思っているのなら、その「埋め合わせ」を提案してくれるはずだが、そんな話は一切出てこないではないか。菓子折りの一つすら持ってきたわけでもなければ、私の自宅または自宅付近の喫茶店まで出向くという気遣いすらなかったではないか。

彼女はその後も、カバーのデザインにお金がかかってしまっただの、校正費がかかっただのともっともらしい弁解を続けていたが、もう私の耳に入らなくなってきた。だいたい、カバーのデザインだの校正費だのというのは、最初からかかるのはわかっているはずだろう。しかもそれは翻訳家には何も関係ない費用だ。なのになぜそれを翻訳家である私に言うのだ。

こんな調子では、どうせここで反論したところでどうにもならないだろう。そう観念した私はうっかり「わかりました」と言ってしまった。じつにうかつだった。いやいや、それどころではない。なんと私は口をすべらせてこんなことまで言ってしまったのだ。

「私としては無事に出版していただいただけでもありがたいことです＊」

印税カットをうかつに了承してしまうと取り返しがつかなくなる。また簡単に印税の引き下げを了承していたら、出版社側に「都合が悪くなったら翻訳家の印税をカットすればいい」ということを〝学習〟させることになってしまう。だから簡単に了承などしてはいけない。しかし当時の私はうかつに「わかりました」と言ってしまったのだ。もう、元には戻らない。

彼女はほっとしたような表情を見せ、気が緩んでしまったのか、同時発売され

ありがたいことです　その前日、たまたま読んでいたあるエッセイストの自伝に、コピーを取っていない１冊分の手書きの原稿を編集者に紛失されたというエピソードが書かれてあり、それに比べれば印税がカットされるくらいまだマシなほうだという思いが一瞬心の中をよぎった。それでついついバカ親切なことを口走ってしまった。

る別の翻訳書の話をし始めた。

「じつはね、宮崎さんの翻訳書と同時に発売される翻訳書があるんですよ。その本は2人の翻訳者の共訳で、2人合わせて6%だったんですね。だから1人あたま3%なんですよ。その人たちにも印税をカットさせてもらいたかったんだけど、ただ、その本を6%から4%に下げてしまうと、1人あたま2%になるじゃないですか。さすがに1人2%とは言えないですからね。そういうわけで宮崎さんに負けてもらうしかなかったんですよ」

(にゃに〜。2人で手分けして訳した共訳者がそれぞれ3%もらって、あれだけ厚い本をたった一人で訳した私には4%? たった1%しか違わないの? それはいくらなんでもひどすぎる。カットするにしても6%からいきなり4%にカットするのではなく、5・5%でも5・7%でも良かっただろう。たった一人の翻訳家だけにしわ寄せを食らわせることもなかろう。しかしなんでそんな余計な話をしてくるのか。私を苛立たせるだけではないか。黙っていてくれれば私は苦しまずに済んだのに)

でももう手遅れだった。もう「わかりました」と言ってしまっていたのだ。

その後、どういう会話をしたか覚えていない。

ふと気がついてみると、私は10冊の見本書籍が入った重たいバックを肩にかけて、とぼとぼと駅に向かって歩いていた。

自宅に帰ってからも怒りは収まらなかった。収まるどころか時間が経つにつれ増大していった。

（印税カットせざるをえないにしても、なぜ６％からいきなり４％に下げるのか。ずいぶんと舐められたもんだなぁ。印税が何％になるのかはっきりと決まっていなかったのなら、「６％」だと言わなければ良かったではないか。こういう場合は「○％～△％の間になります」と幅を設けて言うことだってできたではないか。たとえば、「４％から６％の間になります」と言っておけば、仮に最終的に４％になったとしても、約束を破ったことにはならないし、信頼関係にヒビが入ることもないのだ。なぜ幅を設けて言わなかったのか……）

どうしようもない堂々巡りをしているうちに夜が明けてきた。怒りで一睡もできなかったのである。

見本書籍ができあがる日。それは本来なら翻訳家にとって非常に喜ばしい日のはずである。それがこんなにも哀しい日になるとは……。

残念なことだが、約束していたはずの翻訳者印税がカットされる*ということが少なからずある。実際、私も何度となく印税カットの相談を持ちかけられ、何度かは涙を流した。交渉段階で印税を抑えてくるという話ではない。すでに合意に達したはずの印税を出版間際になってから一方的にカットしてくるという話なのだ。

だが、出版社がそれを安易にやっていると翻訳家との信頼関係にヒビが入るのは必至である。交渉段階ならどんな交渉でもしてくれてもいい。最初から4％と言われていて4％なら文句はない。だが、いったん合意したはずの印税を出版間際になって理由もなく8％を6％にカットしたり、7％を5％にカットしたりされると、手取りの額としては4％より多かったとしても、「裏切られた」という思いがどうしても残ってしまう。だから「4の4」のほうが「8の6」とか「7の5」よりよっぽどマシなのだ。「4の4」の出版社のほうがよっぽど信頼できるのだ。

一度でも印税をカットされると、仮にその出版社から次の仕事を依頼されたとしても、またカットされるのではないかと不安になって仕事が引き受けられなくなる。つまり縁が切れる。これは翻訳家だけでなく出版社にとっても望ましいこ

翻訳者印税がカット
翻訳家・鈴木主税（ちから）氏も「出版のコストを切りつめる必要があるとき、真っ先にカットされるのが著訳者の原稿料あるいは印税であることは、出版界の常識のようになっています」（『職業としての翻訳』）と述べている。

とではないだろう。というのも出版社にとってはお抱えの翻訳家が一人減るわけだから……。

理想を言えば、いったん約束した印税はカットしないのが一番だが、仮にカットせざるをえないにしても、翻訳家との信頼関係にヒビが入らないようなカットの仕方もあるのではないかと思う。印税をカットする「埋め合わせ」として翻訳家にとって好都合な便宜――たとえば次回はヒット作の翻訳を確約するとか、薄めの訳しやすそうな本の翻訳を確約するとかといった便宜――をはかるなどの対処をすることもできよう。お互いが納得できるまで何度でも何時間でも話し合いをするといった誠意を見せてほしいものだ。

私の経験上、出版社はただ単に印税カットを告げるだけで、その「埋め合わせ」を提案してくれたことは一度もなかった。それどころか、印税カットを（電話やメールではなく）直接会って告げて説得したいがために見え透いた口実を作っては私を編集部に呼び出すという手口が横行した*。印税をカットするのならカットするで、せめて編集者のほうから翻訳家の自宅（または自宅付近の喫茶店など）まで話をしに来るべきだと私は思うのだが、現実にはそんなことは一度たりとてありはしなかった。

手口が横行
ある日、某社の担当編集者から電話があり、「初校ゲラができました。削りたいところをご相談させていただきたいので、一度、編集部までご足労いただけませんか」と言われた。ところが編集部を訪れてみると、原稿についてはー切触れず、印税を削らせてもらいたいという相談を持ちかけられた。削りたいのは原稿ではなくて印税か！

某月某日

増刷印税：「宮崎さんのためを思って……」

さて、Cセラーズとのお付き合いはその後どうなったか。じつはしょ～もない続きがあるのだ。

私はくだんの女性編集者から「同時発売される翻訳書を訳した翻訳者の印税はカットできなかったら、宮崎さんに負けてもらうしなかった」と余計なことをしゃべられた時点で彼女との縁は切れたと思っていた。

その数カ月後、そんな彼女から突然、退職を知らせるハガキが来た。私の心の中では彼女はすでに関係ない人になっていたから、なんの感情も湧かなかったし、返事も出さなかった。

ところがその数カ月後、彼女の後任の男性編集者から翻訳の仕事が舞い込んできた。仕事を依頼されることはありがたいことではあるし、しかももうあの女性編集者は退職している。仕事が欲しくてたまらなかった当時の私*がこの話を受けないわけがなかった。

当時の私
すでに『7つの習慣』の第2弾（これについては2章で詳述）は出て金銭的余裕は出始めていたが、まだまだ金銭欲も名誉欲も旺盛だったのだ。

さっそく、打ち合わせの日時を決め、指定された日に編集部に出向いた。私は、前任の女性編集者のときに初版印税６％を４％にカットされたことに言及し、もう二度と印税カットはご免だと釘を刺した。どういう反応をするか内心ビクビクしていたが、男性編集者は素直に非を認めてこう言った。

「それは申し訳ありませんでした。それはいけないですね。ルール違反ですから。約束は約束。守らなければなりません。でも二度とそんなことはありませんから安心してください」

しかもその翌日、彼は「印税６％」など諸々の条件を記載したメールを送ってくれた。前任の女性編集者のときは口約束だけだったが、こうしたメールをもらっておけばこれが覚書代わりにもなる。こうして私はこれでもう二度と印税をカットされることはないだろうと安心して仕事を開始したのだった。

その後、翻訳作業は順調に進み、やがて出版される運びとなった。

ところが、出版直前のある日、彼は電話をかけてきて、こんなことを言い出したのだ。

「今、原価計算*をしているんですけどね、印税６％で計算すると本の定価をかなり高くしなければならないんですよ。で、定価をあげてしまうと売れなくなるこ

原価計算
印刷費、用紙代、印税、デザイン料、イラスト料などの原価を計算し、定価をどうするかを決定する。原価がかかれば定価は高くなる。

とが予想されるんです。申し訳ないのですが、初版印税だけ5％に負けてもらえませんか。重版から6％という約束は守りますから」

「この仕事を受ける前にあれほどおっしゃっていましたよね。二度と印税を下げることはないって」

「でもですね、結局、宮崎さんだって本がたくさん売れたほうがいいわけですよね。定価を高くしたら売れなくなって、結局、宮崎さんの取り分も少なくなるんですよ。逆に定価を安くして出せば本も売れるから最終的に宮崎さんにも良いことなんですよ。宮崎さんのためを思って言っているんですよ。ですから初版印税だけ5％で納得してもらえませんか」

（何が「宮崎さんのためを思って言っている」だ。その編集者は自分にとって都合のいい話をしているのであって、私に都合のいい話をしているのではない。それを「宮崎さんのためを思って言っている」とはなんという言い草か）

そこで私は禁断の手を使ってしまった。「裁判所」というキーワードを出したのだ。

「そうですか、それなら裁判所で調停*という形でお話ししましょう」

するとと彼はビビりにビビった。さすが「裁判所」のキーワードの威力はすごい。

調停
紛争当事者双方の間に第三者が介入して紛争の解

「え？　裁判所？　何も裁判所だなんて、そんなぁ」

「だって納得いかないんでしょ。それなら間に公平中立な第三者に入ってもらって話をしたほうがいいんじゃないんですか」

「いやいやいやいや、ならわかりましたよ。約束どおり払います。じゃあ６％ということで……」

「わかっていただければいいんですよ、わかっていただければ」

こうして初版印税６％という約束を守らせることができたのだった。

ただ「裁判所」という禁断の手を使って相手をビビらせてしまった以上、もう彼から仕事の依頼は来ないだろう。でも、毎回毎回印税カットにやすやすと応じていると、それが当たり前になってしまう。それは絶対に阻止しなければならない。これは私だけの問題ではなく、ほかの翻訳家にも関わってくることだからだ。


それから数カ月後、彼から、前任の女性編集者のときに出した翻訳書が増刷になるという電話*をもらった。

前任の女性編集者は「重版からは６％にするから、初版印税だけ４％に負けてほしい」と懇願し、私はそれを受け入れていた。そしてその話は男性編集者にも

決を図ること。「調停」というと、それだけで恐がってしまう人もいるが、裁判所に行くといってもあくまで話し合いをするために行くのだから、それほど恐がることもない。調停と比べれば訴訟のほうがはるかにストレスフルだ。あとで見ていただくが本人訴訟はさらにストレスが大きい。

増刷になるという電話
増刷になってほしい本はなかなか増刷にならないのに、増刷にならなくていい本が増刷になるとは皮肉なものである。

言ったはずだ。だから重版からは6%もらえるものだと信じていた。ところが彼に重版印税を確認してみるとこんなことを言う。

「え？　そうなんですか。（前任の女性編集者が）そんなこと言っていましたか。でも私はそんなこと聞いていませんねぇ。そもそもウチには初版と重版の率を変えてはならないという社内規定があるんですよ。だから初版が4なら重版も4ですよ。それは絶対に変えられませんから」

瞬時にそれは嘘だとわかった。というのも数カ月前に彼自身「印税は6%という約束だったが、初版印税だけ5%に負けてもらえないか」と印税カットの相談をしてきていたからだ。初版と重版の印税を変えてはならないという社内規定が本当にあるのなら、そんな相談できないはずではないか。

私はチクリとそのことに言及しようかとも思ったが、言ったところでどうにもならないだろうという予感がしたので言及しなかった。

「そりゃないですよ、約束が違うじゃないですか」

「でも、私、そんな約束、聞いてないですから。とにかくウチには厳しい社内規定があるんでダメです。4は4です。重版も4です。それが嫌なら重版はできません」

さすがにこれには抵抗できなかった。抵抗しようにも口約束だけだから裁判所に行ったところでどうにもならないからだ。ここで抵抗すると重版がなくなる。「抵抗して重版がなくなる」のと「抵抗せずに4％で重版になる」のとどちらがいいか。仕方ない。後者を受け入れるしかない。こうして本来なら6％もらえるはずの重版印税も4％にカットされる羽目になったのだった。

喜んでいいのか悲しむべきなのかわからないが、皮肉なことにその本はその後も何度も版を重ね、トータルで刷り部数が約6万部まで行った。そのすべてを6％で計算するのと4％で計算するのとでは莫大な差が出る。額にして数百万だ。私はうっかり口をすべらしたがために莫大な損害を被ってしまったのである。

某月某日　**出版中止**：**「出版契約は成立していなかった」**

初夏のある日、A書房の編集長から電話がかかってきた。私が以前その出版社から出した翻訳書が好評*だったので、また翻訳の仕事をお願いしたいという。新たに考えている本はすでに他社から旧訳が出ているが、素晴らしい内容の本なの

翻訳書が好評
前述した、私の初めての訳書。その本は印税契約ではなく買取契約だった

で宮崎さんに新たに訳し直してもらって新訳として出したいという。

数日後、編集部に出向き、口頭で条件を確認した。条件は前回の翻訳書と同じということで両者は合意した。その条件とは次の3つだった。

①　宮崎伸治の訳者名で翻訳書を12月に出す
②　翻訳料は400字あたり2500円
③　支払い時期は原稿を提出してから2カ月後

12月に出版するので遅くとも10月末までに仕上げてほしいという。出版契約書も覚書も出してもらえなかったが、前にその出版社から翻訳書を出してもらったときは何も問題がなかったので、口頭で仕事を引き受けた*。

その後、私は大急ぎで翻訳を仕上げることとなった。5カ月もあれば余裕だと思っていたが、実際取り組んでみると意外に時間がかかった。それでも私は10月末の締切を死守し、あとはゲラができるのを待つのみとなった。

ところがその後いつまで経ってもゲラができたという話が出てこない。不安になった私はA書房に問い合わせみると、出版予定は翌年2月に延期となったが、翻訳料は年末までに支払うという。

さて、年末になった。翻訳料の約100万円は約束どおり支払われたものの、

ため発行部数は聞かなかった。重版になったとしても私に追加でお金が入ってくるわけではないので、もし売れまくっていたとしたら不満を抱きかねない。だからそんなものは最初から「聞かぬが仏」なのだ。出版社いわく、よく売れていて、読者から高評価の手紙が来たということだった。

口頭で仕事を引き受けた　小難しい話をすると、契約は大別して「諾成契約」に分けられる。出版契約は「諾成契約」と「要物契約」なので、仕事を依頼する側と引き受ける側の意思が合致した段階で成立する。したがって何も問題が起きなければ口約束で引き受けてもかまわないはずなのだが……。

出版予定については口をつぐんだままだ。不安になった私は覚書を出してほしいと頼んでみた。しかし電話口では「はいはい」とは言うものの、いつまで経っても覚書は送られてこなかった。万が一、後になってから「出版契約はなかった」などととぼけられたらたまったものではない。私は心を鬼にしてファックスで覚書の送付を依頼した。しかし待てど暮らせど覚書は送られてこなかった。

業を煮やした私は出版社が印鑑だけを押しさえすればいいように覚書を作成してファックスし、そこに印鑑を押してファックスし直すことを求めた。しかしそれでもなんの反応もないので、同じファックスを数日おきに3度流してやった。するとA書房は立腹したのか、（私が作成した覚書ではなく）A書房自らが作成した「覚書」をファックスで送ってきた。ところがその「覚書」の表題は「翻訳依頼書」となっていた。しかも「誤訳や誤植があった場合は重版の際に訳者が実費で訂正料を払う」という見たこともない〝激辛条項〟が入れられていた。きっと私が執拗にファックスで覚書を求めたので、その腹いせにこんな激辛条項を入れたのだろう。

ただ、宮崎伸治の名で翻訳書を出すことは明記されていたので、これ以上ことを荒げても仕方ないと思い、そのまま放置*しておいた。私はその時点で「出版契

そのまま放置
今思い返してみれば、覚書を出してもらった点までは良かったが、その表題が「翻訳依頼書」になっているのにそのまま放置したのはまずかった。というのも、「翻訳依頼書」という表題だと「もともと翻訳を依頼しただけであり、翻訳書を出版することに関しては合意がなかった」ととぼけられる可能性があるからだ。

約書」と表題の変更を求めるなり、仮にそれが無理でも「これは実質的には出版契約書ですよね」と確認しておけば良かったのだが、当時の私はそこまでする度胸を持ち合わせていなかった。

その後、翌年の2月になっても3月になってもゲラができあがらなかった。約100万円の翻訳料は払ってもらってはいたが、ゲラがいつまで経ってもできないままなので不安は募った。しびれを切らせて電話して聞いてみると、待たせて悪いとは一切思っていないような返し方をしてきた。

「いつ出版するかについては出版社が決めることであって、宮崎さんにどうのこうの言う権利はありません。出版時期が決まったらただちに連絡するので待っていてください。今の予定では今年の7月出版予定です。出版が消えてなくなることはないので心配しないで待っていてください」

12月に出すと言っておいて大急ぎで翻訳をやらせておいて、なんの相談もなく勝手に翌年2月に延期し、さらにそれを延期して7月に出すという。延々と遅延させておきながら「宮崎さんにどうのこうの言う権利はない」とはなんという言い草か。しかしこれは間違いである。翻訳者である私には「どうのこうの言う権利」がある。翻訳家は自分の翻訳書をいつ発行するかを決める公表権*という権利を有している。一方、著作者ではない出版社は公表権を有しているわけではない。だが私は反発しなかった。7月まで辛抱して無事に出れば、何もかも満たされるのだ。我慢だ我慢。

待つこと数カ月後、やっとのことでゲラができあがってきた。本来なら初校ゲラチェックで終わりだったところ、出版時期までまだ時間があるからということで、再校ゲラ、三校ゲラのチェックまでやることとなったが、三校ゲラまでチェックしているのだからこれから出版が中止になることはないだろうという安堵感が生まれてきた。

ところが、三校ゲラを提出して半年が過ぎ、1年が過ぎ、1年半が過ぎてもA書房から出版の連絡はなかった。以前、出版時期を尋ねたときに、編集担当者から「出版時期が決まりましたら、ただちにご連絡します」と「ただちに」の箇所に下線を引いたファックスをもらったとき、私が出版時期を何度も尋ねたのに彼女が立腹してしまったのかと心を痛め、それ以降、問い合わせがしづらくなっていたのだ。しかし、さすがに1年半は長い。我慢しきれなくなった私は担当編集者に問い合わせのメールを送った。

公表権
未公表の著作物について公表を決定する権利。すなわち著作物を公表するか否かを決定し、公表するとした場合の公表の時期および方法ともに決定しうる著作者の権利。

すると、数日後に驚愕のメールが返ってきた。用件だけ書いた非常に短いメールだった。

「長々とお待たせしてすみません。例の翻訳書の出版は見合わせることになりました」

(にゃに〜。「出版が消えてなくなることはない」と言っていたのはいったいどうなったんだ。延々と出版時期を遅らせているからおかしいとは思っていたが、出版を中止するとはどういうことだ。しかも出版中止になったことに関して謝罪の言葉の一つもないではないか)

　私はすぐさま責任を追及するメールを送った。

「出版があまりにも遅れているので、心配になった私はすでに弁護士にも相談に乗ってもらっています*。本が出せなくなったのなら、出せとは言いません。私が今お聞きしたいのは、私の訳者名で本が出るはずだったのに、出さなくなったことに対して貴社はどのように責任を取ってくださるかです。1週間以内にでもお聞かせください」

「弁護士」というキーワードが効いたのか、今度は編集長からメールが来た。長々と謝罪の文言が並び、出版できなくなった理由として「宗教色が強い内容

弁護士にも相談に乗ってもらっています
当初の出版予定日より2年も遅れていたため、不安を募らした私は複数の弁護士に相談に乗ってもらっていた。ある弁護士は「出版時期を遅らせること自体も慰謝料請求の対象になりうる」と言ったが、別の弁護士は「経済的損失が発生していない以上、慰謝料請求の対象にはならない」と言った。弁護士でも人により見解が異なることを身をもって知った。

だったため」と書かれてあった。ただそれも嘘くさい話だった。そもそもこの本はすでに旧訳が出ていて出版社も本の内容を吟味していたはずだ。その上で「素晴らしい内容だから」私に新訳を頼んでいたはずだ。何をいまさら「宗教色が強い内容だったため」に出せないなどとほざきだしたのか。

納得のいかない私は次から次へとのメールで疑問を投げかけた。こうして私と出版社との間で頻繁にやりとりをすることとなったのだが、私が15回目の問い合わせをした時点で、出版社側も私が手に負えないと観念したのか、「この件は弁護士に一任したので今後は弁護士に連絡をしてください」という内容のメールを送ってきた。

それからだ、私と相手側弁護士のファックスでのやりとりが始まったのは。A書房とはメールのやりとりだったが、その法律事務所はファックスでのやりとりを希望してきたため、図らずもファックスでの追及*ができることになった。

出版社側の主張は「翻訳依頼契約*は成立していたが、それについては履行完了済み（翻訳料も支払い済み）であり、出版契約は成立していなかった」というものだった。出版契約が成立していたことを認めてしまえば、出版を中止にした責任を取らなければならなくなるから、成立していたのは「翻訳依頼契約」だった

ファックスでの追及
ファックスの場合、受信するときに受信音がするので、相手側はそれが相当なプレッシャーになっていたようである。

翻訳依頼契約
平たく説明すれば、出版社は翻訳家に翻訳作業のみを依頼し、その対価として翻訳料を支払うが、それを本にして出版するかしないかは出版社の自由、という契約のこと。

という屁理屈をこしらえたのだ。

さすがは弁護士だ。たしかに出版社側からすれば、本が出ない以上なんの利益もない。利益がないばかりか、翻訳料はすでに支払っているし、その他もろもろの経費もかかっている。その上、出版を中止にしたことに対する慰謝料まで請求されてはたまったものではない、というところだろう。

が、それはあくまで出版社側の見方にすぎない。翻訳家側から見れば、翻訳書が出版されることを前提に仕事を引き受けているのだから勝手に出版を中止されたら困る。* 翻訳家は自分の名前で翻訳書を出すという自己表現の楽しみのために仕事を引き受けている。金も大切だが、私などは金よりも自己表現のほうが何倍も大切なのだ。だから金ももちろん払ってもらわなければならないが、本も出版してもらわなければ困るのだ。金を払ってそれで終わりにされたら困るのだ。

もっとも出版中止にしたら必ず慰謝料で償えとは言わない。というのも約100万円の翻訳料を支払っているのにさらに慰謝料まで払わせるのは酷といえば酷だからだ。だから慰謝料以外の方法、たとえばその翻訳書を出版してくれる別の出版社をA書房の責任において探すとか、次は初版印税が高額になりそうなベストセラーの翻訳を確約するとか、あるいは私のエッセイ集を出す確約をしてくれ

勝手に出版を中止されたら困る
映画俳優でも自分が出演した映画が勝手に上映中止にされ、出演料だけで終わりにされたら困るだろう。多くの人に見てもらいたいからこそ懸命に演技するわけだし、ヒットしたらインセンティブももらえる契約だった場合はなおさらだ。訳者だってそれと同じなのである。

るといった「埋め合わせ」を提案してくれればいいのだ。私は、もしもA書房の責任においてその翻訳書を出版してくれる出版社を探してくれるのであれば、その初版印税はA書房にあげてもいいと思っていた。それなのに「出版契約は成立していなかった」と大嘘をついて逃げまくろうとするから事が大きくなるのだ。

私は反論のファックスを流した。

「たしかに表題こそは『翻訳依頼書』となってはいますが、翻訳書を私の名前で出すことが記載されていますし、誤訳や誤植があった場合は重版の際に私が実費で訂正料を払うことまで記載されていることから、本が出る予定だったことは明らかです。つまり、これは実質お互いが出版することに合意していることを示す出版契約書だったのです。ですから出版を一方的に中止したことに対してどういう責任を取ってくださるのかお教えください」

するとまたもや「出版契約は成立していなかった」という主旨の返答が返ってきた。

私は無料法律相談を中心に10名近くの弁護士に相談*に乗ってもらったが（これだって時間も労力も莫大かかることだ、それがどれだけたいへんなことかわかるか編集者よ！）、彼らの意見を最大公約数的にまとめると次のようになる。

10名近くの弁護士に相談 役所が行なっている無料法律相談、弁護士会や法律事務所が行なっている有料相談、さらには著作権の相談を行なっている事務所などを利用していた。有料のところは30分5000円が相場だった。

①　たとえ口約束であっても出版契約は成り立つ。

②　仕事を依頼されたときに「本を出版する」と言われていたのだから、出版契約は成立したことになる。

③　出版契約が成立しており、出版社が一方的に出版を中止にしたのであるから、出版社はなんらかの形で翻訳家に責任を取らなければならない。

④　ただし、その責任を金額に換算して補償する場合、何を基準にして決めればいいかは明確ではない。

出版社が出版契約の成立を認めなければ補償云々という話にまでは進展しない。もしA書房が頑なに出版契約の成立を否認し続けたらいったいどうなるのか。その点については次のような回答をもらっていた。

①　「翻訳依頼書」にはたしかに本が出ることが前提であったと思われる記載があるため、実質これが出版契約書といえる。

②　ただし、この内容だけでは「翻訳だけを依頼したもの」と解釈できないこともない。最終的には裁判所の判断になるが、100％勝てる保証はない。

たとえ100％勝てる保証がなくても、ここで怯（ひる）んでいてはならない。「宮崎伸治訳の翻訳書を出す」ということに関しては合意があったのだ。それを一方的に出さなくしたのはA書房のほうなのだ。簡単にあきらめてたまるか。私は次のようなファックスを流した。

「私は仕事を依頼されるときに、私の訳者名で本が出版されることを聞いておりました。複数の弁護士に確認したところ、口約束であっても出版が前提であるという話があったのなら、出版契約が成立するとのことでした。ですから、貴社は本の出版を中止したことに対し、どのような責任を取ってくださるのかお教えください」

するとまたもや「出版契約は成立していなかった」という主旨の返答が来た。

「口約束でも出版契約が成り立つことに対しては否定するものではありませんが、実際に口約束で出版契約が成り立つには、ただ単に出版する、しないというレベルの話だけではなく、定価や本の形などより具体的な話がなければならないと考えております。よって、当社は貴殿との間に出版契約は成立していなかったと認識しております」

これで私からの攻撃をうまくかわしたつもりだったかもしれないが、このファックスが彼らにとっては命取りとなった。というのも私が以前その出版社から翻訳書を出してもらったときも口約束しかしていなかったし、条件も同じだったからだ。前の翻訳書が書店に出回っている以上、出版契約が成立していなかったというわけにはいくまい。

私はさっそくそれを武器にして相手に問い質した。

「貴社は『口約束で出版契約が成り立つには、ただ単に出版する・しないというレベルの話だけではなく、定価や本の形などより具体的な話がなければならないと考えております』と述べています。では、私が以前貴社から出した訳書はどうなのですか。私は、その本の仕事を依頼されたときも今回と同じように、私の訳者名で出版していただくことと、翻訳料がいくらになるかしか教えてもらっていませんでした。つまり、今回も前回も伝えていただいたことはまったく同じです。なのに、前回は『出版契約』が成立しており、今回は『翻訳依頼契約』が成立していたというおつもりですか。それとも前回も単なる『翻訳依頼契約』だったというおつもりですか。もしそうなら、なぜ今、その本が書店に並べてあるのですか。書店に並んであるということは、誰かと誰かが出版契約を結んだという証拠になります。なぜなら出版契約を結んでいない出版社が勝手にある翻訳家の訳文を本にして出版することなどできないからです。さあ、お答えください。以前の本は、私と貴社の間に出版契約が成立していたのか、していなかったのか。もし出版契約が成立していなかったのであれば、今、書店に並べてある本はただちに回収しなければならないのではないでしょうか」

さあ、どう出る。私はどんな言い訳が返ってくるのか半ば楽しみに待っていた。

翌日、「必要なことに関しては後日ご回答いたします」というファックスが流れてきたが、その後いつまで待っても答えは返ってこなくなった。

そこで私は「『後日ご回答いたします』と書かれてありますが、いつごろご回答がいただけますか」という問い合わせのファックスをこれでもかこれでもかと繰り返し送った。* 言っておくが、私は回答を催促したのではない。相手が「後日ご回答します」と言ったにもかかわらず、いつまで経ってもなんの連絡もしてこないから「いつごろご回答がいただけますか」と質問をしただけである。仮に相手が「1カ月待ってください」とでも言ってくれれば、1か月何もせずに待っていたのだ。うんともすんとも言ってこないから、質問を繰り返しただけだ。

ファックスで執拗に問い合わせを続けた結果、10日くらい経ってから次のようなファックスが返ってきた。

「貴殿とこれ以上、話し合いを進めても、事態の解決にはつながらないため、当社は裁判所における話し合いを求めます。したがって、もうこれ以上、一切、当

繰り返し送った
威力業務妨害で訴えられてもいけないので1日に3回程度にしておいた。

社へはファックスを流してこないでください」

当時の私が民事訴訟を起こすとなると弁護士を雇わなければならなくなる。というのも法的知識はなかったし、そんなことは私のファックスの内容を見れば相手もわかっていたはずである。しかし弁護士費用は高くつくし、100%勝てる事案ではないので引き受けてくれる弁護士を見つけることも難しい。出版社はそう考えたのだろう。だから彼らは裁判所で話し合いをする気もないのに「当社は裁判所における話し合いを求めます」などと見え透いた嘘をついて逃げたのだ。裁判などする気がないことなどお見通しだ。

しかし「もうこれ以上、一切、当社へはファックスを流してこないでください」と言われてしまった以上、私からはファックスが送れなくなった。あまり執拗にファックスを送っていると威力業務妨害で訴えられる可能性もある。そこで私はやむなく弁護士をつけることにした。弁護士をつけるのは初めてだったが、弁護士会の紹介*ですぐに見つけることができた。

数日後、私の弁護士が出版社側の弁護士に接触すると、相手はすぐさま非を認め慰謝料を払うと言ってきたらしい。私に弁護士がついたため、相手ももう逃げられないと観念したのだろう。慰謝料の額を決めるのにその後数カ月を要したも

弁護士会の紹介
知り合いの弁護士がいなくても、弁護士会で弁護士を紹介してもらえる。私の場合、勝てる見込みがあると思ってもらえたのか、すぐに引き受けてくれる弁護士が見つかった。訴えても勝てる可能性が低いと判断された場合など、引き受けてくれる弁護士が必ず見つかるとは限らない。

のの、結局、相手側はそれなりの慰謝料を払ってくれた。私が完全勝利した*のだった。

Ａ書房がなぜ出版を中止にしたのか真相はわからない。ただ、「宗教色が強すぎて出せない」というほど宗教色は強くなかったし、売れそうにない本でもなかった。*そもそも旧訳を読んで「素晴らしい内容の本なので」と判断していたのはＡ書房なのだから「宗教色が強すぎて出せない」というのは嘘なのだろう。私の憶測にすぎないが、おそらく原著者側と衝突してしまったために翻訳書を出せなくなったのだろう。でも、それならそれで正直に翻訳家に説明してそれなりの補償をすべきだった。私もべらぼうな補償を要求するつもりもないのに、話し合いすらせずにいきなりがっちりガードして「出版契約は成立していなかった」と真っ赤な嘘をつき始めるから大ごとになるのだ。

かくして私はＡ書房から払ってもらっていた翻訳料約１００万円に加え、出版を一方的に中止した慰謝料をもらい、さらには別の出版社から翻訳書印税を手にすることができたのであった。「一粒で二度おいしい」というキャラメルがあるが、私はこの翻訳書で「一冊で三度おいしい」経験をした。「災い転じて福となす」の典型例だ。わっはっはっはっ、これでいいのだ。

完全勝利した
あとで弁護士から聞いた話だが、相手側の弁護士は私からの執拗なファックスに相当参っていたそうである。まあ、次から次へとファックスが流されてきたら、そりゃ、気分が悪いだろう。でも私から言わせれば「出版契約は成立していなかった」と真っ赤な嘘をついて逃げまくるからそうなるのであって、最初から誠実に対応してくれていれば、そんなたいへんなことにはならなかったのだ。

売れそうにない本でもなかった
実際、ほかの出版社に持ち込んだら、すぐに企画として採用されて出版された。

なお、翻訳料約100万円をもらっておきながら、さらに出版を中止した慰謝料を求めるのはおかしいという方もおられるかもしれない。特に出版社の社員はそう思うだろう。これがたとえば、私の訳者名では翻訳書が出ないという「ゴースト翻訳*」の契約であったのであれば、出版されようが出版されまいが私には関係がないから、出版が中止になったとしても慰謝料など求めなかったであろう。

しかしこれは「宮崎伸治の訳者名で翻訳書として出版する」という約束があったから引き受けた仕事だったので、出版を勝手に中止されたらそれなりの慰謝料を求めるのが正しいのだ。私に弁護士がついたとたんにA書房は即座に白旗を挙げたのがその何よりの証拠である。約束は約束。守らなければならない。それが社会のルールなのである。

ゴースト翻訳
たとえば有名人の訳者名で出ることが前提で、本当の訳者名を伏せる翻訳。翻訳家は金銭的な報酬のみとなるため、その分割高となることが多いだろう。

第2章

ミッション：インポッシブル

某月某日

二足目のわらじ：出版翻訳家志望者への秘策

出版翻訳家としての収入だけで生活が成り立つだろうか。たいていの人は成り立たないだろう。莫大な遺産を受け継いだとか、投資で大儲けしたとか、玉の輿に乗ったとか、逆玉の輿に乗ったとか、宝くじに当たったとか、他人の10倍のスピードで翻訳できるとかといった特別な人は別として、ふつうの人は成り立たないと思う。平均的な翻訳家の2倍のスピード*で翻訳できると自負している私でも出版翻訳だけで食べていくのはたいへんだ。いやいや、たいへんどころか、無理といったほうがより正確だろう。特に出版不況の今、幻想は見ないほうが身のためである。

それでも出版翻訳家になりたいという出版翻訳家志望者に、ここで私が採ってきたとっておきの秘策をお教えしたいと思う。

それは端的にいえば「二足目のわらじ」を履くことである。それで一定額の定収入を確保するのである。そうすれば出版翻訳家として生き延びられる可能性は

平均的な翻訳家の2倍のスピード
これは私の翻訳スピードが速いということだけでなく、私が独身であり妻子に愛情を注ぐ必要がない分、翻訳に専念できたためでもある。

高くなる。

（なんだ、結局、アルバイトをしろというの？ それなら別にとっておきの秘策なんかではなく、誰でも思いつくことではないの？）

そう思うかもしれない。しかし私がとっておきの秘策というのは、アルバイトといっても勤務時間中に翻訳作業ができるアルバイトをすることである。

（勤務時間中にそんなことができるアルバイトがあるの？）

といぶかしがる人もいると思うが、ある。探せばある。しかも正々堂々とやっていいのだ。たとえば、私が昔やっていた電話番のアルバイトは電話対応をしていない間は何をしてもいいと言われていた。私はその時間をフル活用して翻訳作業に打ち込んでいたのだが、周りの人たちから注意されないどころか、逆に称賛されていた。

34歳のときに求人誌で見つけた電話番のアルバイトは国際電話もかかってくる可能性のある電話番だったので英語が話せることが条件であった。そのため時給も高めに設定されていて、夜9時から翌朝10時までの13時間拘束*で2万5000円もらえた。これが週に1回、月にして4～5回だったから月給は10万のときも12万5000円のときもあった。家賃が5万8000円だったからそれだ

＊夜9時から翌朝10時までの13時間拘束
自宅だと雑誌を読んだり、ネットサーフィンをしたり、ベッドに横たわったりと何かと時間が奪われてしまいがちだが、職場ではそのような誘惑がない分、逆に翻訳作業ははかどる。しかも1勤務2万5000円ももらえる。まさに一石二鳥だった。

けでは生活費としては不十分だが、不定期ながらも原稿料収入や印税収入もあったから生活はなんとかなった。

しかし欠点がないわけではなかった。仮眠時間が一切ないため昼夜が逆転してしまうのだ。毎日昼夜逆転するのならまだしも、週1回の勤務で昼夜が逆転する場合、次の勤務まで1週間あく。その間に徐々に体内時計が元に戻ってしまい、出勤前日にはふつうの体内時計に戻る。それを勤務日にまた無理矢理昼夜逆転する。そんなことをやっていれば体内時計は狂いまくりだ。やがて私は昼夜関係なく頻繁にあくびが出るようになった。

そんな折、友人から別の夜勤があると聞いた。週2回、夕方5時半から翌朝9時までの電話番だが、電話対応をしていない間は何をしてもよく、さらに夜10時半から翌朝8時は電話が鳴らなければベッドで仮眠をとってもよいという。1勤務あたりの金額は1万2000円なので、前の2万5000円のアルバイトの半額以下になるが、こちらのアルバイトは週2回なので、前の週1回のアルバイトと同じくらいの月収にはなる。しかもベッドで8~9時間も眠れるのだから昼夜逆転の生活から卒業できる。

さっそく応募すると即採用となった。働いてみると、私にとってはまさに天国だった。翻訳作業はしまくりだし、仮眠も8～9時間たっぷりとれた。まさに出版翻訳家にとっては最高の「二足目のわらじ」が見つかったのである。これこそ私がいう「とっておきの秘策」だったのだ。

出版翻訳家になりたいという人は、このような秘策を使えば、生活もある程度安定するので、なれないこともないと思う。電話番に限らず、「手待ち時間」のあるアルバイトであれば、その時間にある程度翻訳作業ができる可能性がある。出版翻訳家になりたい人には、そういうアルバイトをお勧めしたい。

某月某日　監修者：「宮崎さんって、なんでもない人じゃないですか」

編集者としては、売れる本を作りたいというのはわかる。それが彼らの社員としての成績になるのだから当然といえば当然だ。だからどんなに優れた翻訳をしたとしても売れなければ編集者が喜ばないこと、逆に少々下手な翻訳であっても売れれば大喜びすることもわかる。

もちろん翻訳者にとっても売れないよりは売れたほうがいいに決まっている。

「二足目のわらじ」が見つかった
じつはこのアルバイト先で『7つの習慣』の第2弾をはじめとする数冊の原稿は仕上がったのである。

手待ち時間
現に作業に従事しているわけではないものの、使用者から指示があれば、あるいは就労しなければならない状況に至った場合にはただちに就労することができるよう待機している時間。手待ち時間に翻訳がしたければ、面接のときにその旨確認しておくといいだろう。

印税契約*の場合は特にそうだ。しかしカッコつけているように思えるかもしれないが、私にとって一番嬉しいのは私の翻訳のクオリティーが評価されることだ。翻訳家であれば本来そうでなければならないはずだと思う。ただ、売れたか売れなかったかばかり気にする編集者にはたくさん出会ってきたが、翻訳のクオリティーを気にかける編集者には出会ったことはない。*

　では翻訳書を少しでも売れるようにするにはどういう工夫が考えられるか。私自身は翻訳家なので売れるようにするコツのすべてを知り尽くしているわけではないので、想像の域を出ないが、思いつくまま挙げてみよう。

①　人目につくタイトルにする。それはそうだ。タイトルで売れるか売れないかの6割が決まるという人もいる。それくらいタイトルは重要だ。

②　値段をリーズナブルなものにする。これもそうだ。高い本だと売行きがグンと下がるだろう。逆に安すぎるから売れないということもなかろう。

③　人目につくカバーにする。カバーも大事だ。

④　広告をバンバン出す。

⑤　著名人にマスコミで取り上げてもらう。

⑥　書評で取り上げてもらう。

印税契約
「本の定価×印税率×部数」で計算されて印税が支払われる契約。たとえば1400円の本が6%の印税率で8000部の場合、1400×0.06×8000で67万2000円となる。ただし、「部数」に関しては「印刷部数（刷った部数）」を採用する出版社と「実売数（売れた部数）」を採用する出版社がある。印税契約を結ぶ場合、「部数」は「印刷部数」なのか「実売部数」なのか確認しておくことも必要だ。

出会ったことはない
そもそも英語が読める編集者がほとんどいないのだから翻訳のクオリティーを評価できる編集者など皆無に等しい。

⑦　書店にPOP*を立ててもらう。

もうとにかく出版社はあの手この手を使って売ろうとする。翻訳家にとっては、これは批判すべきことではなく、まったくありがたいことだし、ありがたがらなければならないのだ。

ではほかに売れる翻訳書にする方法はないか。ある。翻訳者の名前が有名であればあるほど売れる可能性は高まる。翻訳者がダメなら監訳者とか監修者にビッグネームをつけるという手もあろう。

だが、監訳者だの監修者だのをつけるというのは、一人前の（あるいは、自分のことを一人前だと思いたい）翻訳家にとっては、あまり嬉しい話ではないのだ。最初からそういう話だったのならまだしも、一冊の本を訳し終えたあとでこんなことを言ってきたことがあった。B書院の女性編集者は私にこう言い放った。

「売れる本にしたいので、渡部昇一*先生に監修者になってもらおうと思っているのですが、よろしいでしょうか」

（にゃに〜。出版の直前になってから監修者をつけるとか言っているけど、スケジュール的に監修している時間なんかないじゃないか。1日か2日で「監修」させるのか。そんなの、できっこない。できるわけがない。ただ単に名前を借りた

POP
商品販促用広告の一つで、これひとつで書店店頭での売行きが変わるとも言われる。出版社が作るもの、書店が作るものがあり、やはり書店員のナマの感想は強いそうである。

渡部昇一
日本の英語学者、評論家。上智大学名誉教授。専門の英語学以外にも歴史論や政治・社会評論を著している。ベストセラーとなった『知的生活の方法』をはじめ知的生活に関する著訳書も多数。

いがためにそんな話を持ち出してきたのは見え見えじゃないか）

たしかに「渡部昇一監修、宮崎伸治訳」としたほうが「宮崎伸治訳」で出すよりは売れるだろう。渡部昇一ファンならカバーにその名前があるだけで買うだろうから。

しかし、そんなことをしてくれたら渡部昇一というビッグネームの陰に宮崎伸治の名前が埋もれてしまって、誰も宮崎伸治が訳したとは覚えてくれないだろう。つまりは、実質、その本は渡部昇一のものになるのだ。出版社はそれでも売れればいいだろうが、それでは私は困るのだ。というより、なんでまたそんなことを出版の直前になってから相談してきているのだ。私は反撃に出た。

「そんな話、聞いていませんでしたよ。でも、もうスケジュール的に監修なんてしている時間ないじゃないですか」

「時間的なことならなんとかなります」

「だって、どう考えてもどうにもならないと思いますが。今からだったら実質1日か2日しかないと思いますよ」

「いや、どうにかします」

よ〜し、そんなに言うなら、こっちも本音をぶつけるしかない。

「でも、カバーに日本人の名前が2人載って、一方がビッグネームだったら、私の名前がかすんでしまうんですよ。[*] そうなったらもう、その本は実質的には渡部昇一の本になってしまうのです。私が何カ月もかけて翻訳しているというのに、たった1日か2日だけ仕事しただけでカバーに名前を載せるのですか。それっておかしくないですか」

B書院の女性編集者はこう言った。

「こちらの事情も理解してくださいよ。売れないと困るんですよ」

「そこまでしてビッグネームを使わなければならないんですか」

「だって宮崎さんって、なんでもない人じゃないですか」

彼女がそんなことを口にしたのがとても信じられなかった。まさかそんなことを言う人とは思っていなかったからだ。その後、私は何をどう言ったのか覚えていない。しかしその場では反論しなかったことは確かだ。たぶん「それでは好きにしてください」とでも言っていたのだろう。だが「なんでもない人」呼ばわりされた悔しさはその後も消え去ることはなかった。

（なんだなんだ、なんでもない人とはなんだ。私はなんでもない人なんかじゃないよ。何かはあるよ。実際、こっちはイギリスの名門の大学院から修士号を取得

名前がかすんでしまう
以前、松井秀喜と山崎武司がホームラン王を争っていたとき、1本リードしていた山崎武司が「もしも2人が同数でホームラン王になったら、松井だけがホームラン王として人々に記憶に残ってしまう。だから敬遠してでも松井にホームランを打たせないでほしい」という主旨の発言をしたという記事を読んだが、そう言った山崎の気持ちが痛いほどわかった（ちなみに松井は4打席連続で敬遠された）。ただ、野球に関心がないであろう女性編集者にそんな比喩を使ってもわかってもらえるとも思えなかったので、その話はしなかった。

しているんだよ。出版翻訳家になるのだってたいへんなんだよ。なのになんで私がなんでもない人なんだよ。そういうあなたはどれだけ立派な人間なんだよ。だいたい、人のことをなんでもない人なんて言う資格があなたにあるのかよ）

数週間後、その本は監修者付きという形で出た。渡部昇一氏は都合がつかなかったのか、別の人が監修者になっていた。その人の名前はどこかで聞いたことがあるかなぁ程度の認識しかなく、会ったこともなければ話したこともなかった。そこまでして出た本だったが、初版止まりであった。売れたのならともかく、そこまでされたのに売れないなんて、本当にトホホだよ。

じつは、渡部昇一氏に関しては興味深い後日談がある。この女性編集者が知ったら泡を吹くような話である。これについてはのちにお話しすることにしよう。

某月某日 難癖：「編集費がかかったんだよ！」

ある日、それまで付き合いのなかった大手出版社のD社*から電話がかかってきた。至急翻訳書を出したいので翻訳をお願いしたいという。何度か私のほうから

D社
文京区にある、週刊誌、女性誌、文芸誌も発行する大手総合出版社。

売り込みの手紙を送っていたので私のことを覚えてくれていたのだろう。

誰もが知っているD社からの初めての依頼である。嬉しくないわけがない。当然、その場で打ち合わせに応じる旨伝え、打ち合わせの日程を決めた。

数日後に出版社に出向いてみると、50代と思しき編集長と40代と思しき担当編集者の2名が応接室で迎えてくれた。話によれば、すでに日本語翻訳権*を取得しているという。

編集長は自信に満ち溢れた表情でこう言った。

「今、『世界がもし100人の村だったら』*というのが売れているでしょう。この本は、それに似せて作ろうと思っているんだ。私は英語ができるのでちゃんと読んでみましたが、なかなか面白い。これはかなり売れると見ています。ぜひ翻訳、お願いできませんか」

それを聞いた私は心の中で（なんだなんだ、この出版社も二番煎じをやってんのか）と思わずにはいられなかった。

じつは「今、『○○』が売れているから」という理由で、それに似せた「二番煎じ」の本を作りたがる編集者は非常に多いのだ。ヒット作にあやかりたいのはわからないでもないが、翻訳書なのだからマネをしたところでマネできるもので

日本語翻訳権
英語の本を日本語に訳して出版するには、通常、先にお金を払って日本語翻訳権という権利を取得しなければならない。

『世界がもし100人の村だったら』
世界を一つの村にたとえ、経済状態、食糧問題、紛争、人種などを説明する小話で、2001年ごろインターネット上で世界中に広がった。日本では、翻訳家の池田香代子と、C・ダグラス・ラミスが再話して日本訳したものがマガジンハウスから刊行されベストセラーになった。D社からこの話があったのが2001年12月。

はない。著書ならマネして作ることも不可能ではないだろうが、翻訳書の場合、もともと内容がまったく違うのに形だけマネしても、うまくいく可能性は低いように思う。というのも原文を切ったり貼ったりすることができず工夫の余地がないからだ。なのに、なぜどこの出版社もそうやって「二番煎じ」ばかり作ろうとするのか。

私は嫌な予感がしてきた。

（訳文ができあがった後になってから、思い描いていた内容とは違っていたらどうするのだ。まさか出版できないって言い出すなんてことはないよな）

だが、なんといっても相手は大手のD社である。しかももう日本語翻訳権も取得していると言っている。ということはこの本の出版は正式に決定しているということだ。ここでこの仕事を断ってしまえば、その時点でD社との縁が切れることを意味する。当時の私*に断るという選択肢などあるはずもなかった。

私は嫌な予感を必死の思いで封印し、その場で引き受ける意思表示をした。おそらくこの本が売れることはないだろう。しかしこの仕事さえ引き受ければ、将来、別の仕事をもらえるかもしれない。D社は雑誌もたくさん出しているから、そっちの仕事が入ってくるかもしれない。そう睨んだのだ。ただ、過去の苦い経

当時の私
40歳手前で多少金銭的余裕は出てきていたものの、特に大手出版社D社との付き合いは魅力的に思えた。

験から印税率だけはハッキリさせておくべきだと思い、恐る恐る印税について聞いてみた。

「で、印税は決まっているでしょうか」

「宮崎さんは、ほかでは何パーなんですか*」

「6%から8%というところが多いですね」

するど編集長は安心したような顔をして言った。

「ウチは7なんですよ。それでよろしいですか」

7%なら悪くはない。6%というところも多いし、ひどいところでは5%や4%もあったのだ。7%もらえれば私にとっては御の字だ。

「口頭だけでもかまいませんか？　なんなら覚書を出してもいいですけど」

要求していないのに覚書まで出してくれるという。願ったり叶ったりである。覚書さえ出してもらったら、あとで印税をカットされる心配もなくなるというものだ。

2カ月で訳してほしいというかなり超特急の無茶な要求ではあったが、覚書を出すという言葉を聞いて安心した私は引き受けることにし、全体を5分割にし、5分の1の訳文ができあげるつど提出するということで合意に達した。

何パーなんですか
じつはこういって探りを入れてくる出版社は非常に多い。「パー」というのは「パーセント」の意味だが、業界では「パー」と略す人がけっこういる。私は「パー」を「パーセント」に言い換えて答えた。そのほうが丁寧な感じがすると思ったのだ。

私はさっそくその夜から翻訳に没頭した。またまた全力疾走だった。とにかく時間がないのだ。

最初の5分の1を訳し終えるころ、私は（この本、出なくなるんじゃないか）という嫌な予感が膨れ上がってきた。訳していて、どうも本として出せる代物ではないのだ。アンケート結果をまとめた本なので数字がたくさん出てくるのだが、縦書きの訳文にする場合は漢数字になってしまう。漢数字だと一気に読みにくくなる。そのような本を読みたいと思う人がどれだけいるだろうか。

最初の5分の1の訳文を提出する際、私は担当編集者に電話をかけて素朴な疑問を投げかけた。

「数字が漢数字になるとかなり読みにくくなると思うのですが、縦書きにして出版されるのでしょうか」

「心配は要りません。編集はあとからどうにでもできますので、この調子で翻訳を仕上げてください」

その言葉を信じることにした。「心配は要らない」と言っているのだから、これ以上、あれこれ言ったところで関係が悪化するだけだ。ここは黙って作業を進めるのが賢明だ。そう思った私はその後も5分の1ずつ訳文を仕上げては提出し、仕上げては提出しを繰り返した。

ところが、である。最後の訳文を提出した後、出版社からまったく音沙汰がなくなった。あれほど急がして翻訳をさせておきながら、1カ月経っても2カ月経っても3カ月経っても4カ月が経っても一切連絡がなかった。なぜ4カ月も何も言ってこないのか。やっぱり出したくないのか。私はついにしびれを切らせて問い合わせのメールを送った。

数日後、やっとのことで担当編集者からメールが来た。相談したいことがあるから編集部まで来いという。こんなに長々と待たせてこんなこと言ってきているわけだから、出版を中止にしたいという「相談」なのだろう。そんなのわざわざこっちのほうから出向いていってたまるか。こっちだって忙しいのに、なんで時間も電車賃もかけて「出版を中止にしたい」という話を聞きにいかなければならないのだ。そういう「相談」ならそっちから来いってんだ。そんな見え透いた罠に引っかかってたまるか。

私は探りを入れるため、どういう内容の「相談」なのかを尋ねるメールを担当編集者に送った。

すると案の定、次のようなメールが返ってきた。

「いただいた訳文を4度読み返しましたが、はたしてこれでショウバイになるのかという疑問が湧いてきました。つきましては、出版の中止も視野に入れて一度ご相談をさせていただきたく、ご来社願えればと存じております」

そのメールを読んだ私はマグマを撒き散らしながら怒り狂った。ハチャメチャにわめき散らかした。にゃにが「はたしてこれでショウバイになるのか」だ。自信満々に「かなり売れると見ています」って言ってたではないか。それなのに一冊丸々訳させておいて、今ごろなんてことを言い出すのだ。* 私は5回に分割して5分の1ずつ提出した。なぜ5分の1を出した時点で「ショウバイになるか、ならないか」を再検討しなかったのか。なぜ全部の全部を訳させた後にそんなことを言ってきているのか。居ても立ってもいられなくなった私は超激辛のメールを送った。内容はざっとこんな感じである。

――そもそも私に仕事をオファーするときに「かなり売れると思う」と言っているのはあなた方である。しかも私が5分の1を出したときに「編集ならあとからなんとでもなる」と言っていたのもあなた方である。それなのに何を今さらに「これでショウバイになるのか」などと言い出すのか。そんなに簡単に出版中止にされても困る。今の訳文を縦書きの訳書として出せないのなら、横書きにして

今ごろなんてことを言い出すのだ
編集者よ、私の魂のメッセージに耳を傾けてくれ。いったん翻訳を頼んだからには何がなんでも出版しろとは言わない。原書ではいいと思っていても、訳文を見たらイメージしていたのと違っていたということもあろう。でも、もし出せそうにないのなら一刻も早く相談してくれ。出せそうか否かは5分の1を見ればだいたいわかるだろう。5分の2までだったらまだギリ許せる。しかしそれを超え

もいいし、図や表を入れるのもいいし、イラストだって入れてもいい。そういうことをあなた方は考えたのか。考えた上で、それでも駄目だと言っているのか。いただいたメールを拝見する限り、なんとかして出したいという意欲が感じられない。しかも出版を中止にしたいという「相談」なら、そっちのほうから私の家に来るべきではないか。なぜ私のほうからあなた方のところにうかがわなければならないのか――

その翌日、編集長から携帯電話に電話がかかってきた。それまでは電話がかかってくるときは必ず固定電話にかかってきていたのだが、その日は私の外出中に携帯電話にかかってきた。よっぽどすぐに話したかったのだろう。話を聞いてみると、出版はするという。私の超激辛メールが効いたのだろう。

しかし編集長が「出版する」と言ったのは意外だった。私は、編集長が私の自宅まで「相談」しに来て、「埋め合わせ」の条件を提示してくれれば出版中止を受け入れる覚悟でいた。というのも、やはりあの本の内容では出版は無理だと思っていたからである。たしかにまったく売れない本を無理やり出すよりも、多少なりとも売れる可能性のある本を出したほうがいいに決まっている。営業に関して素人である私ですら、その本が売れないことはすぐにわかる。

てからの出版中止は翻訳家にとって酷すぎる。

だから私はもし私のエッセイ集を出してくれるという「埋め合わせ」の条件を呑んでくれるのなら、その翻訳書の出版を中止する責任を一切問わないという案をぶつけてみようと思っていた。それくらい私は自分のエッセイ集が出したかったのである。しかし電話ではなかなかそういう話もしにくかったのでしていなかったのである。しかし私の家まで「相談」しに来ないのであるから、そういう話し合いすらできなかった。

ともあれ、編集長が出版を約束してくれたのだから、これ以上とやかく言うのはやめておこう。せっかくうまくいきかけているのだから、しばらく様子を見ようと決意した。

しかし案の定、その後ぴったりと連絡が途切れた。やっぱり出せないのか。しかし、もうこれ以上、私のほうからも詮索はできない。待つしかないのだ。私は延々と待ち続けた。

3カ月以上経ったある日、編集長から電話がかかってきた。訳文のチェックはこちらサイドでしたし、横書きにしたし、イラストも入れたのでいい本になりましたと言う。ただ、訂正した箇所を宮崎さんに見ていただいて了解を得たいから一度編集部まで来てほしいとも言い出した。

（ええ？　編集部でゲラをチェックする？　そんなの初めてだ。いったいなぜそんなことを言い出したのだ？）

私は咄嗟にこう返した。

「いや、それならゲラを送ってください。自宅でチェックしますので」

「いや、もう時間もないのでゲラを送っている暇がないのです。編集部までお越しいただいて、じかに訳文の訂正箇所をチェックしてもらいたいのです」

「でも、チェックするには時間がかかりますし、編集部でチェックしてくれと言われましても、集中してチェックできないような気がするのですが。お急ぎでしたら、なんだったら今日にでもバイク便を使って送っていただくということはできないのでしょうか。それでしたら、今日からすぐにチェックしますけど」

「だからこちらは急いでいるですよ。そんな時間はないのです」

「そんなに時間がないのですか。なら、もう私のチェックなしでもかまわないですよ。だって編集部にうかがってもそこで集中してチェックするなんてできませんから」

「いやいや、宮崎さんのお名前で出す以上、確認を取っていただかないと出せないのです」

何がなんでも編集部に来させようと意地になっているかのようだった。異様な感じがしたが、私としては初校ゲラチェックの手間も省けたし、1回編集部を訪れれば発刊できるのなら大きな前進だ。そう思って、翌朝に編集部に行くと応えた。

かくしてその翌日、編集部に出向いた。ゲラを見てみるとイラストがたくさん使われていた。私がイラストを使ってほしいと頼んだわけではないが、出版を中止したいという相談があったときに私のほうから「イラストを入れてもいい」と提案したのは事実だ。こういう場合、イラストにかかった費用は誰が持つのか。私か出版社か。

やがて編集長はゲラに貼り付けていた付箋を一つ一つ示しながら、「ここは誤訳だね」「ここは表現が日本語としておかしいね」「ここは誤字がありますね」と貧乏ゆすりをしながらネチネチと指摘してきた。

たしかに誤訳もあった。表現が日本語としておかしいところもあった。誤字もあった。それについては文句が言えない。ただ、弁明させてもらうとすれば、私は出版社側の懇願を受け入れて超特急で訳したし、初校ゲラチェックはさせてもらえるのがふつうだ*。だから当然、初校ゲラチェックの際に再度訳文のチェック

初校ゲラチェックはさせてもらえるのがふつう
事実、初校ゲラチェックすらさせてもらえなかった出版社はそれまで一つもなかった。

をするつもりでいた。それなのに私になんの相談もなく勝手に編集プロダクションで全部訂正をし、次から次へと難癖をつけてきたのだ。

私は編集長の貧乏ゆすりしながらのネチネチとした指摘を受けているうち、だんだん気落ちしていった。私がへこんでいるのにつけこんで編集長は威圧感たっぷりにこう切り出してきた。

「編集費に相当お金がかかったんだよ。じつはイラストはある編集プロダクションに頼んだんだけどね、そこに英語ができる人がいたので、訳文のチェックもついでにやってもらったんだよね。わかるよね。お金がかかったってこと。最初の約束は7％ってことだったけど、そういうことで5％に負けてもらわないとね。7％にして出すとなると本の定価が高くなるんだけど、それじゃ、この本は売れない。宮崎さんに負けてもらうしかないんだよね」

私はうかつにもその場で「わかりました」と了承してしまった。というより、そうでも言わないかぎり延々とネチネチ非難が続きそうだったので、そう言わざるをえなかった。まあ、たしかにここは「わかりました」と言う以外ない。初校ゲラはチェックさせてもらえなかったものの、誤訳や誤字があったのだ。それは私の落ち度ではある。でも本当はイラスト代を私に負担させたかったのだろう。

ただ、そうは言いづらかったから「編集費がかかった」と言ったのだろう。

編集部を出るとドッと疲れが出てきた。そしてそのとき閃いた。なるほど、編集部まで来いとあれほど言い張っていたのは、印税カットを承諾させたかったからか、そうだよなぁ〜と納得しながらトボトボと最寄り駅まで歩いていった。

その翻訳書は予想どおり初版止まりだった。当然といえば当然だが、その後その出版社から仕事の依頼は来なくなった。縁が切れたのである。

この経験を経て一つ重要なことを学んだ。それは「覚書」を出してもらっていても、印税がカットされることもありうるということだ。ああ、くわばらくわばら。

某月某日 『7つの習慣』:「翻訳の神」が降りてきて

それはその翻訳書が世に出る7年も前の話である。当時の私はイギリスの大学院*に留学しており、来る日も来る日も朝から晩まで読書に明け暮れていた。そんなある日、図書館に籠って『7つの習慣』の原書を一心不乱に読み進めていくと、

イギリスの大学院
シェフィールド大学大学院。同大学にはキャンパス内に映画館があり、学期中は週3回夕方から映

それまでの人生で一度も経験したことのない強烈な至高体験をすることとなった。

それは「喜びの雷」に打たれたとでも言おうか、「翻訳の神」が降りてきたとでも言おうか、まるで完全試合を達成した瞬間のピッチャーかのごとく、体中の細胞がジンジン興奮してきて爆発してしまうのではないかと思えるほどで、その興奮はその後も延々と続いた。そしてそのときに強烈に脳裏に刻み込まれたのが、自らの手で訳した『7つの習慣』が書店に大量に平積みされている映像だった。

（え？　私はまだ一冊も本を出したことがない人間である。その私が『7つの習慣』を自らの手で訳して出版する？　でも今、私はイギリスにいる。帰国するのは1年以上も先だ。果たしてそんなことが可能なのか？　いや、でもあまりにもリアルな映像だ。とても幻とは思えない。あまりにも鮮明で、あまりにも強烈な映像だ。そうだ！　これは「翻訳の神」が私に『7つの習慣』の原書を訳して日本で出版しろと命じているのだ。そうでなければ、こんなにリアルな映像が浮かんでくるわけはない。間違いない。私は『7つの習慣』の原書を訳す運命を担っているのだ。私がやらなければならないのだ。なぜならそれは「翻訳の神」が望んでいることだからだ。これは必ず実現することだ！）

私はそのまま図書館を飛び出して夕日に向けてガッツポーズを決め、イェー

画を上映していた。料金も安かったので英語の勉強も兼ねてよく映画を観に行った。翻訳家志望者は留学をしてこのようにどっぷり英語に浸かる経験をするのもいいことだと思う。

イ！　と雄叫びを上げた。「翻訳の神」が降りてきた瞬間だった。

断っておくが、私は宗教家ではない。神の存在は証明できないことを知っているし、神の存在を信じるか信じないかは本人の自由であることもわきまえている。だからそんな話をふだんすることなどない。しかしそれでもあえて言えば、そのときの私には「翻訳の神」が降りてきたとしか形容できないのだ。というのも、それくらいリアルな映像を見たからである。

それからというもの、私は自分こそが『7つの習慣』の原書を翻訳出版する人間なのだというワクワクドキドキ感に支配され続けた。

帰国するのは1年以上も先だというのに、居ても立ってもいられなくなった私は日本の大手出版社数社に「ぜひ私に『7つの習慣』の原書を訳させてください」という懇願の手紙を送ることにした。ただ、そんな懇願の手紙を送ったところで無視されるのがオチなのは当時の私でもわかる。そこで私は考えに考えた。そして当時翻訳のアルバイトをしていたシェフィールド大学のジャパンセンター長に推薦状を書いてもらった。* 英語で書かれた推薦状なので、受け取った編集者が英語の読めない人だったら万事休すなのだが、それでもないよりはあったほうがマシだ。

ジャパンセンター長に推薦状を書いてもらった
ジャパンセンターで翻訳・通訳・日本語教師のアルバイトをしており、ジャパンセンター長とはよく顔を合わせていたのでこういうお願いができた。推薦状もふだん接触がない人に簡単に書いてもらえるわけではなく、日ごろの地道な努力が必要なのだ。

私は一縷の望みをかけて3、4社の出版社に手紙を送った。しかし待てど暮らせどどの出版社からも返事が来ることはなかった。

イギリス留学から帰国して数カ月経ったある日、山手線に乗ると馬鹿でかい『7つの習慣』の翻訳書の広告が目に入った。

（うわ〜、やられた〜。私が翻訳するはずだった本が先に誰かに翻訳されてしまった！　チクショー、やっぱりあの本、すごかったんだ。本当に惜しいことをしたもんだ）

しかし私は『7つの習慣』には第2弾があることを知っていた。そしてその時点でもまだ自分が第2弾を訳す可能性を捨て切ったわけではなかった。心の奥では、私が第2弾を訳すことになればいいのになぁ……という甘い期待を抱き続けていた。

しかしそうはいっても毎日の生活がある。生きていくにはお金がいる。お金は稼がなければ入ってこない。甘い期待を抱き続けてもそれで生きていけるわけはないのだから、ほうぼうの出版社にガムシャラに売りまくり、ガムシャラに書きまくり、ガムシャラに翻訳しまくるしかなかった。毎日が「24時間戦えますか*」

24時間戦えますか
三共製薬（現・第一三共ヘルスケア）の栄養ドリンク「リゲイン」のCMコピー。テレビCMで時任三郎が歌い上げていた。平成元年の「新語・流行語大賞」銅賞。

状態だった。その結果、その後3年間で計9冊の著訳書を出すに至った。

帰国して3年経ったある日のことだった。女性編集者と雑談をしている最中、ふと、『7つの習慣』の第2弾の話になった。そのとき私が第2弾を訳したいと本音を漏らすと、彼女は呆れかえってこう言った。

「宮崎さん、いくらなんでもそれは無理ですよ。第1弾があれだけ売れているんだから、第1弾の訳者が第2弾も訳すに決まっているじゃないですか。なんで自分に第2弾の翻訳が回ってくるって思っているの？ 考え方が甘すぎますよ。アプローチしても無駄ですよ」

彼女のその言葉でハッと閃いた。彼女は「アプローチしても無駄ですよ」と言った。しかし彼女の言葉の中の「アプローチ」という単語が引っかかったのだ。

（アプローチ？ そうだ、アプローチしてみよう。なぜ私はこの3年間、自分からアプローチしなかったのだろう。自分からアプローチしなければ、第2弾の翻訳が私に回ってくる可能性などあるわけない。ダメ元でアプローチするだけアプローチしてみよう。それでダメだったらあきらめられるじゃないか）

私はさっそく『7つの習慣』を出している出版社を探し、「第2弾の原書を訳させてほしい」という懇願の手紙を送った。* ダメ元だ。返事が来なければ来なく

懇願の手紙を送った
手紙に数冊の著訳書を同封して送った。出版社に売り込みの手紙を送るとき、著訳書がある人はそれを、ない人は論文や投稿文など自分が書いたもののコピーを同封して送ると効果的であろう。

たっていいじゃないか。そう割り切って出した。

数日後、編集長から電話がかかってきて、『7つの習慣』の第2弾はすでに訳者が決まっていると丁重に断られた*。

（そうか、やっぱりダメだったか。さすがにこう言われたらあきらめるしかない。これでスッキリあきらめられる。こうして私の長年の夢は消えてしまった。イギリスで見たあの強烈な映像も単なる幻想にすぎなかったのだ）

そう観念した。観念するしかなかった。

しかし物事がどうなるかは神のみぞ知ることである。その数カ月後、摩訶不思議なことにその出版社から『7つの習慣』の第2弾の翻訳の依頼が舞い込んできたのである。

話によるとその出版社は悪化した経営状態を挽回すべく、ベストセラーになることが確実な『7つの習慣』の第2弾を一刻も早く出したいという。しかし第1弾を訳した訳者に翻訳を依頼すると翻訳するのに3年はかかってしまうので、超特急で訳せる私に3カ月で訳してもらえないかという相談だった。

私は「超」とか「クソ」が付くくらい真面目な人間である。守れそうにない約束をすることはない。だから3カ月という期限が守れるか否かじっくり検討して

丁重に断られた
それでも「いずれ仕事を頼むことになると思うので、一度面会に来てほしい」と言われ、面会に行くことができた。その際、私は自分の翻訳スピードが速いことをアピールして帰った。

でないと仕事を引き受けられないのだ。困ったくらいにクソ真面目な性格ともいえるが、逆に言えば、そこが私のいいところでもある。そこで私は1日考えさせてほしいと言って電話を切って、その後3カ月間に起こりうるありとあらゆる事情を考慮に入れて検討してみることにした。

3カ月。日数にして92日。

果たしてそんなに早く訳せるだろうか。期限を守れる自信がなければ断るしかない。しかし私は「翻訳の神」に命じられていたはずだ。これは92日間死にものぐるいで取り組めば必ず実現できるということだ。「翻訳の神」が命じているのだから間違いない。そうだ、そう信じよう！

2時間後、私は承諾の電話を入れた。編集長は大喜びしてくれた。

こうして私が『7つの習慣』の第2弾を訳すことが正式に決まった。順調に行けば5カ月後には書店に平積みになるのだ。

その映像が浮かんだとき、イエーイ！　とガッツポーズを決め込んだのは言うまでもない。

某月某日 92日間：ミッション：インポッシブル

『7つの習慣』の第2弾を訳すのに私に与えられた期間は3カ月、日数にして92日。2月末が締切の別の仕事を抱えていたので、3月1日から翻訳を開始し、5分の1の分量を訳し終えるごとに原稿を提出、5月31日までにすべての訳文を提出する、という予定だ。

これは非常に厳しい日程である。専業の翻訳家がその本の翻訳だけに専念しても7、8カ月くらいはかかる分量である。『7つの習慣』の第1弾は2人の翻訳家の共訳となっているが、翻訳期間に2年半かかったと序文に書かれてある。ということは、もし1人だったとしたら単純計算すれば5年かかっていたことになるではないか。

ところが私はたった1人でほぼ同じ分量の本を92日で訳さなければならないのだ。依頼の電話がかかってきたとき、3カ月では難しいので4カ月もらえないかと尋ねたが、きっぱり断られたのだから期限の延期を申し出ることはできない。

だからその92日間に風邪で寝込んでしまったり、歯痛が耐えられなくなったり、身内に不幸があったり、パソコンが壊れたり、絶世の美女にいきなり誘惑されたり……といったことがたったひとつでもあると、もうそれだけで期限には間に合わなくなる。最初から最後まで全力疾走しなければ期限までにゴールインできない、まさに翻訳界の「ミッション：インポッシブル*」なのだ。

でも私ならできる。一見不可能としか思えないことでも私ならできる。なぜならすでに原書を何度も読み込んでいる私には解釈にかかる時間が不要だからだ。しかも私の英語の語彙力はハンパない。知らない単語など原書1冊の中でも数えるほどしかない。そんな私が原書をそのまま同時通訳ならぬ「同時翻訳」すれば、トム・クルーズ扮するイーサン・ハントよろしく、他人が5年かかることを92日で終わらせるという芸当が可能になるのだ。

当時、広島の実家に病弱な母が一人住まいをしており、私は看病のため月一度のペースで帰省を余儀なくされていたが、そんな母に「大急ぎの仕事が入ったので5月末までは帰省できないが、6月1日に必ず帰省する」と約束し理解してもらった。あとはもう、私の翻訳作業を邪魔するものが入らなければなんとかなる。なんとかする。なんとかしてみせる。

「ミッション：インポッシブル」
1996年公開のアメリカ映画。1966年に始まったアメリカの人気テレビドラマシリーズ「スパイ大作戦」の映画化作品。この作品が多くのファンを魅了するのは、トム・クルーズがスタントマンを付けずに、すべてのスタントを自分でこなしているからであろう。一歩間違えば本当に死んでしまうようなスタントは見ているだけでアドレナリンが爆発する。

かくして3月1日、その後92日間に母の病状が悪化しないよう神に祈りながら「ミッション：インポッシブル」に着手した。テレビは持っていなかったので観ることとすらできなかった。新聞も雑誌も本も一切目に触れないようにした。万が一、興味を引く文字や写真が目に飛び込んできたら時間を奪われかねないからだ。外食に出かけるときも原書のコピーを持参して目を通しながら食べ、入浴するときも湯船につかりながら原書のコピーに目を通した。映画やサウナやバッティングセンターなどといった娯楽に興じる時間的余裕などあるわけはなく、散歩すらもしなかった。目を覚ましているすべての時間をその本の翻訳に捧げた。訳して訳して訳しまくった。

やがて5分の1の訳文が仕上がった。提出すると編集長は大喜びしてくれた。予想をはるかに上回るクオリティーなので予定どおり7月中に出せるという。この言葉によって私のモチベーションもアップした。翻訳のクオリティーに合格点が出たのだから、あとはこのまま訳し終えさえすればいいのだ。それで私はベストセラーが出せるのだ。

気を良くした私はその後も全力疾走し続けた。5分の2を提出し、5分の3を提出し、5分の4を提出した。しかし相変わらず時間的余裕は生まれない。毎日毎日、1日に訳す分量を訳すのが精一杯で、その先2行でも3行でも訳し進めたいと思いつつもそれすらできなかった。それくらいいっぱいいっぱいだった。そういうわけで、少しでも遅れが生じると期限まで間に合わなくなるという崖っぷち状態は変わらないままだった。

そんな状態だったから、もうそのころの私は夢の中でも仕事をするようになっていた。ふつう、夢に出てくるものといえば人や動物や風景だろう。しかし当時の私の夢に出てきていたのは英文や英単語だった。いい訳文やいい訳語が浮かんでこないとき、その英文や英単語が夢の中に出てきていたのだ。いきおい夢の中でもその訳文や訳語を考える羽目になる。目を覚ましている時間のすべてを翻訳に捧げているというのに、眠ってもまだ翻訳させられるのだ。1日16時間だったのが、いつの間にか1日24時間の翻訳耐久レースに変わっていた。

そんなある日、夢の中に原著とは関係のない英単語が出てきたことがあった。「verify」という単語が突然現れ、だんだん膨らみ始め、巨大なモニュメントになって私に襲いかかってきた。* 私はハッとなって目を覚ました。その夢はいったい私に何を示唆していたのだろうか。なぜ「verify」という単語だったのだろうか。「verify」は「確かめる」とか「実証する」という意味である。とすると、そ

私に襲いかかってきた
英文や英単語が夢の中に出るというのはそれ以前もそれ以降もないことを考えれば、私の精神はギリギリまで追いつめられていたのだろう。

の夢は私に「自分の真の実力を実証してみせろ！」と命じようとしていたのか。もしそうでなかったらいったいなんなのだ。「verify」にほかにどんな意味があるか辞書で確認してみよう。いやいやいやいや、そんなことをしている暇などない。そんな暇があるのなら1行でも2行でも翻訳を進めるべきだ。崖っぷち状態でそんな余計なことに手を出していると崖から転落する。そう思い直した私は気を引き締め直し、すぐさまその日に訳す箇所の翻訳に取りかかった。

そうこうするうち、残りあと数ページとなった。最後の力を振り絞るときだ。5月31日に最後の原稿を提出すればやっと翻訳から解放され、広島に帰省できる。その後は大阪を旅しよう。高級ホテルに泊まろう。おいしいものもいっぱい食べよう。お酒も好きなだけ飲もう。観光もしよう。そんな自分への褒美を思い浮かべながらラストスパートをかけた。

5月31日の夕方、とうとう訳了した。やった、あんな分厚い本を本当に92日で訳し終えることができた。私は約束をきっちり守ったのだ。まだ出版されてはいないが、すべて訳し切ったのだからもう私は『7つの習慣』シリーズの訳者になったといっていい。そう、もう私はベストセラーの訳者になったのだ、イエーイ！

某月某日 住宅ローン：「それで年収はどれくらいですか？」

『7つの習慣』の第2弾を訳し終えた私は早くも「取らぬ狸の皮算用」をし始めた。それはそうだ。なんといっても、あと2カ月もしないうちにベストセラーが出て印税がガバガバ入ってくるのだ。だから、万が一、今たとえどんな悲惨なことが発生したとしても絶対に死んでたまるか。「印税ガバガバ」の明るすぎる未来が私を待っているというのに、それを享受しないうちに死ぬなんてありえない。早く来い早く来い。出版日よ早く来い。明るい未来よ早く来い！

しかし当時の私は悩ましい問題を抱えていた。広島の実家に一人暮らししている母の容態が徐々に悪化して入退院を繰り返し、そのたびに帰省を余儀なくされていたのだ。それはじつに悩ましい問題だった。なにしろ、いつ急に呼び出されるかわからないのだ。しかも呼び出されるときは決まって「すぐに帰ってこい」なのだ。

広島に帰省したある日のこと、母から一大決心を聞かされた。それまでも将来のことを話し合ってはいたが、そのときは母のほうから一大決心をしたと言い出した。その決心とは、母が東京に上京して私と一緒に住むので2人で住める家を探してほしいとのことだった。700万円までなら出すので、残りは住宅ローンを組んで買えるところを買ってほしいという。

母の容態は徐々に悪化しているが、私が東京を引き払って広島に帰ったところで仕事が見つかる当てもない。総合的に見て、それが最良の解決方法だと判断し、私と母が住める家を買うことに合意した。

家を買うのは初めてのことであったから、いくらでどんな物件が買えるのかすら知らなかった。当時の私は200万円程度の貯金はあったが、家賃が毎月5万8000円かかる上、外食中心の生活だと貯金などあっという間に減っていく。そういうわけで一日でも早く印税を手にしたかった。

翻訳の依頼を受けたとき、「7月末にはどうしても出したいので5月末までに訳し終えてほしい」と言われていた。

（出版社は7月末にはどうしても出したいと言っていたから、もうすぐ出るはずだ。出さえすれば、数百万がドカッと入ってくるはずだ。そうすれば母が出すと言っている700万円と足してマンションの頭金にできる。私はベストセラーの

訳者なんだ。銀行も喜んでローンを組んでくれるはずだ）

そう思っていたものの、6月になっても7月になってもゲラはできあがってこなかった。問い合わせの電話を入れても、今ちょっと遅れている、としか言わない。

しかし、うかうかしてはいられない。母の容態は日に日に悪化し、いつ重体になるかわからなかった。もう待ったなしだ、一刻も早く東京に家を探さなければならないと思い、物件を探し始めた。

ところがその後、母の気持ちがぐらぐらと揺れ動き、「700万円出す」と言っていたものを「500万円までなら出す」に変え、さらには「200万円まで出す」に変えた。*

母が出す金額が700万円から200万円まで下がったので価格が高い東京駅付近はあきらめ、新横浜駅付近の家を探し始めた。*

2カ月あまり物件を探し回った結果、新横浜駅の近くに1330万円のマンションが見つかった。その夜、さっそく母に電話をかけた。

「今日いろいろと回ってみたらね、1330万円の物件が見つかったよ」

「それは良かったね。じゃあ、そこを買うということで動いてもらえるかい。と

「200万円まで出す」に変えた
世の中には自分が言ったことを他人の迷惑も顧みずにコロコロ変える人間がいるが、私の母などはその最たるもので、舌の根も乾かぬうちに言ったことをひっくり返す癖があった。最初は700万円出すと言っていたから、それを前提として家を探していたのだが、500万円に下げ、さらに200万円に下げたので、東

ころで、ベストセラーが出て印税がたくさん入ってくるって言っていたけど、あれはどうなったの。あれは幻だったの」

「いやいや、幻じゃないよ。出るよ。もうじき出るよ」

「もうじき出るもうじき出るって、いつもそう言っているじゃない。だからいつ出るの」

「それはわからない。でも予定では7月末だったんだ。2、3カ月出版が遅れるってことはよくあることなんだよ」

「本当かね、騙されているんじゃないの？」

「違うって。騙されてなんかないよ」

「そう？　それだったらいいんだけどね」

「とにかく、もうじきその本が出るし、印税が入ってきたら、今回の物件のお金はそれでまかなえるんだよ」

「ま〜、調子のいいこと。そんなの、出てから言いなさい」

たしかに出てから言うべきことだろう。だが、出版社は「7月にどうしても出したい」と言って私を急かしたし、だからこそ私は5月末までに仕上げたのだ。翻訳のクオリティーも合格点をもらっている。私は母からこう言われるたびに出

京駅付近で探していた私は調子が狂ってしまった。

新横浜駅付近の家
東京駅か新横浜駅付近を考えていたのは、広島の実家と新幹線での往復が少しでもしやすくなることを望んでいたためである。というのは、「広島が恋しくなったらいつでも帰れるようにしておきたい」という母の希望を考慮し、実家も売却せず残しておいたからである。コロコロ大魔神である母のことだから東京圏に出てきても、数日で「広島に帰る」と言い出す可能性があった。

版が遅延していることを恨めしく思うのだった。

数日後、不動産屋から電話があり、相手方と交渉してくれて1330万円を1230万円まで下げてくれるという。家の価格の交渉などしたことがなかった私は、そんなに簡単に100万円も安くしてくれるのかと驚くばかりであった。これで私の手持ちの現金から100万円を出し、母が200万円出してくれるから、残り920万円となった。これを住宅ローンで組めばいいわけだ。しかも920万円なら印税*が入ってくれれば返済できるはずなのだ。

私はさっそくローンを組んでくれそうな銀行を探しに出かけた。真っ先に向かったのはメインバンクにしていた三和銀行*だった。三和銀行に入り、番号札を引いて待っていると、やがて順番が回ってきて、50歳くらいの男性が対応してくれた。

ローンを組んでもらうのは初めてだった私は恐る恐る切り出した。

「あの〜、住宅ローンの件でおうかがいしたのですが」

「あなたのご職業は?」

「文筆業です」

「文筆業ですか。う〜ん、それで年収はどれくらいですか」

印税
具体的な皮算用まではしていなかったものの、増刷印税が入るたびにローンの繰上げ返済をしていけば、そう遠くない将来に全額返済できるだろうと予想していた。

三和銀行
その後、何度かの統合を経て、現在は三菱東京UFJ銀行。

文筆業と聞いた瞬間、彼は怪訝そうな顔をした。たしかに「文筆業」といってもピンからキリまでいるし、大半はキリのほうだろう。私はそのとき初めて「文筆業」がいかに社会的に認められていない職業なのかを身をもって痛感した。

「年収は今ちょっと事情があってかなり少ないのです。*でも、ちょっと話を聞いていただきたいのです」

「いや、こっちも忙しいからね。いちいちあなたの事情なんて聞いていられないんですよ。こっちが気にしているのはあなたの年収、ただそれだけです。だって審査は年収だけしか見ないから。年収が200万円を切っていたら、たとえどんな事情があったとしても貸すことはできません」

そのときは私もまだ冷静さを失っていなかった。なんと言っても私にはとっておきの切り札があるのだ。そう、私こそは空前のベストセラーの第2弾の訳者なのだ。その切り札さえ出せば、ちょうど水戸光圀公が印籠を見せるようなもので、相手は急に態度を変え、喜び勇んでローンを組んでくれるはずなのだ。

「200万円はなんとか超えていると思いますけど……」

「確定申告はしていらっしゃいますか。過去3年間のあなたの所得を見させていただくことになりますが。たとえ200万円を超えていても、年収が少なければ、

かなり少ないのです
印税は本が出版されてから2、3カ月後に支払われることが多い。たとえば「翻訳に6カ月、編集に3カ月、出版後3カ月後に支払い」という場合、翻訳に取りかかってから初版印税が入るまで1年かかることになる。このようにタイムラグがあるため、駆け出しのころは年収は低かった。特にこの前年は父が亡くなり、父の事業をたたむために広島に帰省していたこともあり、仕事自体も少なかった。

借りられる額も少ないですよ」

いかにも見下した言い方だった。きっと過去にいい加減なフリーライターでもいたのであろう。そして私もいい加減なフリーライターに見えたのであろう。

私はとっておきの切り札を出すことにした。

(よし、そんなに言うなら、泡を吹かせてやる。これを聞いて驚くがいい)

「あの、『7つの習慣』という本はご存じでしょうか」

「知りません」

『7つの習慣』は当時でもすでに国内100万部を突破していたが、それでも本を読まない人は意外と知らない*ものである。その銀行員が知っていてくれたら良かったが、知らなかったとしても仕方がない。私は冷静に言った。

「あのですね、私が今回お借りしようとしているのは900万円なんですね。で、『7つの習慣』というのは100万部以上売れている本でして、私はその本の第2弾を翻訳しまして、もうじき出る予定なのです。第1弾が100万部以上出ているのですから、どんなに少なく見積もっても私の本は数年以内に8万部くらいは出ると思うのです、で、そうしますと……」

「何？　80万部も売れたの？　ふぇ、80万部？　それで何億も印税が入ってきた

意外と知らない
当時、10人に同じ質問をしても、知っていると答えた人はせいぜい1人くらいのものだった。出版界のベストセラーとはいえ、一歩業界の外へ出ればこんなものなのである。

の？　大金持ちになったの？」

　私は目の前にいる真面目そうな銀行員が口にしたことが信じられなかった。私は「8万部」と言ったのだ。なのにその銀行員は「8万部」をわざわざ「80万部」と言い換えて私をからかうようにそう言ったのだ。こんな漫才みたいな対応、あっていいのか。しかしここで怒りを爆発させてはならない。そんなことをしたら貸してもらえるはずのものも貸してもらえなくなる。私は必死に怒りを抑えてこう返した。

「いえ、まだ出ていないんです。ですからですね……」

「出ていないんだったら言わないでください、そんな夢物語」

「いえ、夢物語ではないんです。私はもうすべて訳しているのです。あとは出るのを待つだけの状態なのです」

「あのね、あなたのようないい加減な人に貸していたら、こっちだって困るの。あなたに貸して、もしあなたが返せなくなったら、貸した人は困りますよね？　それはわかりますよね？」

「はい」

「だから貸せないのですよ。第一ね、そんなに売れる本なら、その本が出てからその印税で家を買えばいいでしょう。なんでローンなんて借りる必要があるのですか」

「いや、それはそうなんですけど、今、実家の母の容態が悪くなってですね、できるだけ早く家を買いたいのです」

「とにかく、あなたのような幻想を見ている人には貸せません」

「そうですか、じゃあ、ほかの銀行に行きますからいいです」

「ほかの銀行に行っても無理だよ*」

（ほかの銀行が私にローンを組んでくれるか否かはその銀行が判断することであって、あなたが判断することではないよ！）

私は激しい怒りを抑えながら銀行を出た。その銀行員に対する怒りがこみ上げてくると同時に出版時期をずるずると遅らせる出版社にも怒りの矛先は向いた。

（いったいなぜ出版社はなんだかんだと言い訳を重ねて出版時期を遅らせているのだ。本当だったらもう出ているはずじゃないか。あんなに急がせて翻訳させたのはいったいなんだったのだ）

数日後、私は三菱銀行*にローンの相談に行った。ローン担当者の兄がたまたま文筆家であったこともあり、私の事情を理解してくれ、ローンが借りられること

ほかの銀行に行っても無理だよ
後日、別件で三和銀行に行ったときにアンケート用紙の存在に気づいた。このときの会話をそっくりそのまま書いて提出しておいた。私は批判も非難も人格否定もしていなかったし、なんの要求もしていなかった。ところが翌日、支店長と当該銀行員が2人して拙宅まで謝罪に来た。わっはっはっはっ、これでいいのだ。

三菱銀行
現在の三菱東京ＵＦＪ銀行。結局、三和も三菱も一緒になった。隔世の感がある。

になった。ローンの審査が通ったことを例の三和銀行の行員に言ってやりたかったが、そこまではしなかった。

しかし私のはやる気持ちとは裏腹に、その後も出版は延々と延期された。当初は7月に出版される予定だったものが8月になり9月になり10月になり11月になり12月になり1月になり2月になり3月になり4月になり5月になり6月になり7月になった。丸1年も伸ばされたのだ。

現実問題として、出版が遅れてもその責任を追及するのはほぼ不可能であろう。弁護士に相談したところで「もう少し待ってみたらどうですか」と言われるのがオチだし、出版が遅れたとしても、法的責任を追及するのは実際のところほぼ無理である。ただ、翻訳家の立場から言えば、ちょっとした口約束であっても守ってもらいたいものなのだ。*かくしてせっかくローンの審査も通っていたというのに、新横浜のマンションを買う目途が立たなくなってしまったためお金も借りずじまいだった。

口約束であっても守ってもらいたい
編集者からすれば、出せる原稿を少しでも多く手元に持っていたいのだろう。提出期限を決めていても提出を遅らせる作家もいるだろうから、サバを読んで「〇月には絶対に出すので」と言ってハッパをかける。しかし本当にその月に出すことが正式決定しているのならともかく、早めに原稿が欲しいからという理由で、毎回そんなことをしていると作家のほうでも「早く原稿欲しさにまたサバを読んでいる」と思われてしまうのではないだろうか。

第3章 これぞ出版翻訳家の歓喜

某月某日　平積み：「在庫が1冊もないのです」

『7つの習慣』の第2弾は当初の予定より1年遅れでやっとこさ出版されることになった。本当にやっとこさだった。じつはそれまでも何度も「来月出す予定です」とか「再来月出す予定です」と出版予定がひっくり返され、そのたびにやり切れなくなっていたのだが、どうやら今度という今度は本当らしい。出版予定日まで教えてくれたのだから、もう間違いない。

そう信じた私はそれからというもの、見本書籍が届くのを今か今かと狭苦しいワンルームの自室に籠って待ちわびた。

通常、見本書籍は発売日の1週間程度前に届くものである。ところがどっこい、待てど暮らせど届かない。おいおい、また何かあったのか、また遅らせるのか、いったいどういうことなんだ。

発売予定日の前々日、しびれを切らした私は居ても立ってもいられなくなって編集長に電話をかけてみた。

「宮崎ですが、見本はそれそろお送りいただけるころでしょうか」

「ごめんなさい。今、初版はすべて書店に回っていて在庫が1冊もない状況なのです。なので2刷ができあがったら送ろうと思っているんですけど、それでいいですか」

（えっ？　2刷ができあがったら送るって？　それでいいですかだって？）

それでいいですか、と聞かれても私に「嫌です」と言う選択肢があろうはずがない。私は一刻でも早く見本書籍を手にしたかったのだが、こう聞かれてしまっては、もはや逆転の発想をするしかない。逆に考えれば、在庫がなくなるくらい出回っているということだからむしろ喜ぶべきことではないか……と自分に言い聞かせながらこう返した。

「はい、じゃあ、2刷が刷りあがったら送ってください」

編集長は続けて在庫を切らしている理由を説明し始めた。

「じつは新宿の紀伊國屋と日本橋の丸善で10冊ずつテスト販売したら両店とも即日完売して、それで大量に注文が来たのです。１００冊、２００冊単位で注文が来ています。特に浜松町のブックストア談*は平積みでたくさん並べてくれるそうですよ」

ブックストア談
JR浜松町駅に直結する世界貿易センタービルの2階で立地は抜群。モノレールへの乗り換え駅で、ビジネスマンや旅行者が多い。開放感があり、ゆったり本を見られた。現在は文教堂浜松町店になっている。

販売開始日の前に「テスト販売*」なるものがあるというのはそのとき初めて知ったのだが、2店とも10冊中10冊が即日完売だったという。さすがはミリオンセラーの第2弾だ。そこそこ売れる本でも10冊並べてその10冊が即日完売なんてことはあまりないように思う。なのに宣伝も告知もしていない段階で、たまたま本屋に立ち寄った客相手に10冊中10冊が即日完売なんて、すごい、すごすぎる。「親の七光り」という言葉があるが、「第1弾の七光り」もすごいのだ。

思い返せば、私がそれまでに出した本の中でも10冊の平積みが最高だった。おそらくその書店は10冊仕入れたということだろう。出版社が「ドル箱」と称し、印税契約ではなく買取契約*で依頼されたマーフィー本*ですら10冊の平積みであった。ほかにも10冊平積みにしてくれていた本もひとつかふたつあったが、それ以外は5冊平積みになっていれば御の字で、1冊か2冊の棚差しで済まされるのが常だった。それだけ書店にたくさん仕入れてもらうことは難しい話なのである。

それが今回は２００冊仕入れてくれた書店があるという。２００冊である。ごくふつうの本とはケタが2つも違うのだ。どのように並べられるか想像するだけで興奮するというものだ。

考えてみれば、そんなこと一生のうち一回あるかないかだろう。今後、私がこ

テスト販売
実際に発売するより数日前に店頭に並べて売行きを調査する。出版社が力を入れた新刊で行なうことがあるらしい。

印税契約ではなく買取契約
出版社が確実に売れると見なした本は訳者に重版印税が流れるのを防ぐために、1回の翻訳料の支払いだけで済ませられる「買取契約」を提示してくることがある。逆に、売れるか売れないか判断できない本に関しては、初期費用が低く抑えられる「印税契約」を提示してくることが多い。

マーフィー本
ジョセフ・マーフィーの訳書。ビジネス書の定番として、さまざまな出版社から何冊もの訳書が刊行されている。

こまで売れる本の翻訳書が出せるとも限らない。かといって自著でここまで売れる本を出すのも難しい。だから今回写真に収めておかなければ一生後悔することになる。そう思った私は「たくさん並べてくれる」と聞いた書店に行って平積みになっている場面を写真に収めることにした。

浜松町は山手線の駅のひとつである。私も何度か降りたことがあったが、最初「浜松町」と聞いたとき、静岡の「浜松」だと勘違いし、すっかり静岡の「浜松」まで遠征するつもりになった。遠いことは遠いが静岡なら行けないことはないし、一生に一度しかないチャンスを逃してはならないからだ。

「浜松」までの旅程を調べようとしたとき、自分の勘違いに気づいた。

（そうだ、「浜松」ではなく、「浜松町」だと言っていたな。そうか「浜松町」か。それなら自宅から1時間半もあれば行ける。よし、明日は一番乗りしてやろう。平積みになっている場面を写真に収めるわけだからほかの客が写り込んではまずい。よし、ほかの客がまだ来店していない開店直後を狙おう）

私は十分に余裕をもった時刻に目覚ましをセットし、夜が明けるのを楽しみにしながら眠りについた。

発売日当日になった。私は目を覚ますとすぐにデジタルカメラを持参して浜松町のブックストア談に出向き、開店まで喫茶店で時間を潰し、開店と同時に入店した。カバーデザインは事前に見せてもらっていたので知っていた。そのカバーを探して回ればいいのだ。

私は平積みになっているさまざまな本に目をやりながら店内を歩き回り始めた。胸が高鳴り始めた。

(さあ、どういう並べ方になっているか。平積みにしてくれているのは間違いないだろうが、何冊並べてくれているだろうか)

1つ目のコーナーにはなかった。2つ目のコーナーにもなかった。3つ目のコーナーにもなかった。4つ目のコーナーにもなかった。

(あれ、今日発売日だよな。本当に今日店頭に並ぶのかな。昼から並べてくれるってことなのかな。あとで出直して来ようかな……)

とその瞬間、大量に平積みしてある『7つの習慣』のコーナーが目の中に飛び込んできた。『7つの習慣』の第1弾が5列、第2弾が13列で合計18列あり、POPも立ててあった。売り場面積のレイアウトを考えれば、一番目立つ特等席ともいえる場所だった。

（あぁ〜、あった、あった、あった、こんなにたくさん並べてくれている！　すごい、すごい、すごすぎる、イエーイ！）

7年前にイギリスで見た映像そのものだった。その光景を目のあたりにした私は喜びのあまり胸が張り裂けそうになり、一瞬、宙に浮いた感覚に襲われたのだった。

某月某日　ご褒美：17年越しのジグソーパズル

浜松町のブックストア談で『7つの習慣』の第2弾が平積みされているところを写真に収めた後、さらに都内の大型書店を3、4店回ってみることにした。同じような写真が撮れるかもしれないからだ。幸運なことに、たまたま立ち寄った池袋の旭屋*が大量に平積みしてくれていたので、すかさず写真に収めた。

よし、この2枚の写真を見本書籍と一緒に母や友人、編集者に送ってやろう。みんな泡を吹いて驚くことだろう。私に向かって「出版社にアプローチしても無駄ですよ、考え方が甘すぎますよ」と忠告した女性編集者よ、この写真を見て驚

旭屋
近畿を中心とする書店チェーン。こちらでは入口付近の平積みコーナーのど真ん中に第1弾2列、第2弾9列で平積みしてくれていた。

くがいい。

ところで編集長は見本書籍は在庫を切らしていたから送れなかったと言っていたが、本当は送るのを忘れていただけだったのではないか。でもそれはそれで良かったのだ。というのも遅れてくれたおかげで一緒に写真も送れることになったからな。もし予定どおりに見本書籍が届けられて見本書籍だけを先に送っていたら、あとになって写真だけを送るのはさすがにしにくい。そんなに自慢がしたいのかと思われてしまうからだ。だから遅れたのは正解だったのだ。あれは神風が吹いたのだ。わっはっはっはっ、これでいいのだ。

私は、くだんの女性編集者が写真を見て驚く姿を想像するだけで愉快になった。「ミッション：インポッシブル」を遂行した人間にはこれくらいの褒美はあってもいいというものだ。私は嬉しさのあまり飛び跳ねたりスキップしたりシャドーボクシングしたりしながら自宅に戻った。

自宅に戻り、さっそくデジタルカメラに収めた写真をプリントアウトしようとしていると出版社から電話がかかってきた。売行きが好調なので8000部増刷するという。発売開始からせいぜい6、7時間しか経っていないというのに8000部も、だ。それまでもほかの本で増刷を経験したことはあったが、何カ月も過ぎた後にやっと１０００部とか１５００部の増刷だった。それが今回は「即日、８０００部」なのだ。やっぱりすごい、ホンモノだ。

電話でその知らせを受けたとき、浜松町のブックストア談で『７つの習慣』のコーナーを発見した瞬間に受けた衝撃とは異なる種類の衝撃を受けた。前者はエベレストの山頂に到達した瞬間に感じるかのようなアドレナリン出まくりの強烈な達成感だったが、後者はエベレストから下山して無事に家に着いた瞬間に感じるかのような安堵感だった。どちらも気持ちいいのは同じだが、気持ちよさの種類が異なっていた。そしてその安堵感に包まれた瞬間、私は翻訳家を志してからの17年間に経験したすべての苦しみ、つらさ、哀しみ、怒りが消滅したように感じた。私の「17年越しのジグソーパズル」が１枚の美しい絵となって完成された瞬間であった。

美しい絵のジグソーパズルを思い出してほしい。それは明るい色や綺麗な色だけでできているわけではない。ひとつひとつのピースを取り出して見ると暗い色も濁った色もある。それらひとつひとつは美しいわけでもなく、何が表されているかすらわからない。しかし全体を１枚の絵として見たとき、暗い色や濁った色のピースもその絵の美しさに貢献していることがわかる。私の17年間も同じだったのだ。この17年間、楽しいことや嬉しいことばかりではなかった。苦しいこと、つらいこと、悲しいこと、腹立たしいことも数え切れないほどあった。悔しくて悔しくて耐え切れなくて電車に飛び込んでやろうかと思ったことすらあった。しかし「17年越しのジグソーパズル」として完成された今、すべての経験が今の歓喜に貢献していることがわかる。

私は「17年越しのジグソーパズル」のひとつひとつのピースを思い出してみた。

ひとつのピースは3年間の翻訳通信教育時代だった。毎回真っ赤に添削されて返された。酷評されるたびに気持ちは腐ったが、それでも挫けず3年も続けた。そのおかげで締切を厳守する几帳面さが培われた。締切を1日でも遅れるとゼロ点にされるシステム*だったからである。

ひとつのピースは3年間の産業翻訳家時代だった。誤訳が見つかるたびにこっぴどく叱られた。毎日が針のむしろだった。でもそれで訳文に対する敏感さが養われた。これでもかこれでもかと何度推敲してもケチをつけられるのだから敏感にならないわけがなかった。訳文を5度も6度も7度も推敲する習慣が身についたのはこの地獄の3年があったからである。このピースは色で言えば真っ黒だったが、この真っ黒のピースがあったからこそ、後にほかのピースの輝きが際立つ

締切を1日でも遅れるとゼロ点にされるシステム
1カ月に1回提出して点数を積み上げていき、一定の点数に達したら昇級するシステムであった。締切を1日でも遅れると添削そのものはしてもらえるが、昇級のポイントとしては加算されないため、締切は毎回厳守した。

ことになったのがわかる。

ひとつのピースは2年間のイギリス留学時代だった。約200冊の原書を読んで読んで読みまくった。その中でもっとも良かった本が『7つの習慣』の原書だったわけだが、留学していなかったらきっとこの本に出合っていなかったに違いない。というのも日本でサラリーマン生活を続けていたら、洋書を扱っている書店に足を運ぶ機会もほとんどなかったと思うからだ。そう考えると留学したことと自体が必要不可欠なピースだったことがわかる。

ところで私に「ベストセラーになる原書はどうやったら見つかりますか」と聞いてくる翻訳家志望者がいる。まだ1冊も翻訳書を出したことがないのに、いやそれどころか翻訳の学習すら始めてもいないのに、いきなりベストセラーになる原書の見つけ方を乞うてくるのである。彼らはまるで「ジグソーパズル」のもっとも明るいピースだけを求めているかのようだ。しかし美しい「ジグソーパズル」を完成させるには暗いピースや濁ったピースも必要なのである。ちょうど私が17年間に味わった苦労とフラストレーションといらだちのような暗いピースや濁ったピースが……。

某月某日 **日和見的：「あの有名な宮崎さん？」**

『7つの習慣』の第2弾が送られてきたらすぐさま母親や友人、編集者に送るつもりでいたので、封筒も挨拶状も、さらには私の職業人生ベストショットともいえる2枚の写真も用意し、来る日も来る日もじっと自室に籠もって待ちかまえていた。

待ちこがれること数日、やっとのことで42冊の「2刷」*が宅配便で届けられた。届いた直後に大急ぎで段ボール箱を開け、中から1冊訳書を取り出した。やった、これだこれ、待ちに待った私の訳書だ。きちんと表紙に私の名前が訳者名として載っている。よしよしこれでいいのだ。カバーのデザインもじつにいい。新刊の匂いも最高だ。この匂いは私にとってはアロマテラピー以上の効果がある。とうとうみんなに送るときが来たぞ。みんなこれを見て驚くがいい。

私は大急ぎで郵便局に行き、発送手続きを終え、あとは反応を待つだけとなった。早ければ明日にでも反応があるかもしれない。そう思うと翌日になるのがじ

42冊の「2刷」
初刷印刷時に送られてくるはずだった見本書籍10冊、2刷印刷時に送られる2冊、自分で購入した30冊の合計42冊。

つに楽しみだった。

翌日、さっそく反響があった。

X社のK氏から電話があった。K氏は部数の話が好きな人だ。打ち合わせで会うたびに挨拶代わりに「この本は何部行った」「あの本は何部で止まった」などと部数の話をするし、私が新刊を送ると必ず初版部数を聞いてくる。あまりに部数の話が好きすぎて、長時間話しても翻訳のクオリティーとか本の内容といった話が出てくる幕などまったくないのだ。私が翻訳について重要だと思うことを説明しようとしたら、1分も経たないうちに話を遮られたことすらあった。そんな彼の口癖は「内容が良くても売れなければダメだ」「翻訳のクオリティーが高くても売れなければダメだ」であった。

そんなK氏は、私が送った訳書が2刷であるのを見抜くと、案の定、初版と2刷のそれぞれの部数*を聞いてきた。それに答えると「え？　たったそれだけ？　全然たいしたことないね」と本音を漏らした。そう言われても私としては何も返す言葉はない。部数を決めているのは私ではなく出版社だ。だから私にあれこれ言われても答えようがない。かくして自然と会話は途切れ、彼はさっさと電話を切ってしまった。まあ、関心を持たれないよりはマシか。

それぞれの部数
『7つの習慣』にはいくつかの関連書籍があり、私の第2弾が出る前にも何冊か出ていたのだが、そちらは出版社の思惑どおりに売れなかったらしく、リスク回避もあってか第2弾の初版部数はミリオンセラーの続編にしては低めに抑えられていた。

Y社のA女史からも電話があった。A女史も部数の話が好きな人だ。その点はX社のK氏と似ている。しかも翻訳のクオリティーや本の内容に関心がないところもK氏とそっくりである。ただ、A女史は部数以外にも興味を示したものがあった。私が送った写真だ。

「あの写真、何？　宮崎さん、自分で撮りに行ったでしょう」

「はい」

「まぁ〜よくやるわね〜」

まあいいではないか。写真を撮るくらい好きなようにさせてくれ。合意していた印税をカットしようとする*よりはるかに無害だろう。

A女史は「次はぜひウチでベストセラー狙いましょうね」と言って電話を切った。毎回のようにベストセラーベストセラーと言う癖がある彼女はつくづくベストセラーを出したがる人のようだ。まあ、「次はぜひウチで」といって声をかけてくれたのだから良しとしよう。

Z社のY氏からも電話があった。Z社からはすでに翻訳書を1冊出していたが、そろそろ次の作品をやらないかとのお誘いだった。これはこれでありがたいお誘いだった。しかしそれまでは打ち合わせをするにしても必ず「事務所までご足労

合意していた印税をカットしようとする
実際にこのA女史は出版の直前に「7%を6%に負けてくれないか」と相談してきたことがあった。私は「どうしても6%しか出せないのなら、その埋め合わせに次に出す翻訳書を私に回すといった便宜をはかってもらえませんか」と提案した。A女史は「それなら6でもいいの？　5でも？」と笑いながら返してきた。「5でも？」と言って笑った彼女を見た瞬間、バカバカしくなり断った。

いただけますか」だったものが、「どこか喫茶店ででもお会いしましょう」に変わっていた。これもこの本の影響か。

X社もY社もZ社もすでにおつきあいのあった出版社だったが、嬉しかったのは、それまで著書や翻訳書が出るたびに手紙と一緒に送付して売り込んでも無視され続けていたO社、P社、Q社から反響があったことだ。

O社のM氏からは留守番メッセージが入っていた。

「O社のMと申します。いつも本をお送りいただき、ありがとうございます。お留守のようなので、また改めてこちらからご連絡させていただきます」

無視され続けていたO社から電話がかかってきたのだから大きな進歩だ。

P社のS氏からも電話がかかってきた。

「はじめまして、P社のSと申します。いつも本を送っていただいてありがとうございます。『7つの習慣』の第2弾は宮崎さんでしたか。いや～、知りませんでした。失礼しました。じつはですね、本当は今までも宮崎さんには連絡しようと思っていたところだったのですが、ちょうどタイミングが悪くて連絡できずじまいだったのです。今度、よかったらぜひ一度編集部までお越しになりませんか。いや、特に企画がなくてもいいのです。雑談している最中に企画が浮かぶこともありますからね」

それまでにも何冊も著訳書を送っているのに梨のつぶてにしてくれていたのに「今までも宮崎さんには連絡しよう連絡しようと思っていた」などと宣う。それって本当なのか。『7つの習慣』の訳者とわかったから急に連絡してきたのではないか。もしそうなら彼は完全な日和見主義者だ。まあ、でも許そう。誰しも日和見的なところはある。私にもある。大切なのは今後だ。*

Q社のT氏からもメールが来た。

「Q社のTです。このたびは本をお送りくださり、ありがとうございました。また売行きなどもお教えいただければ幸いです」

なんじゃ、このメール。売行きを教えてくれって言うのか。そんなメールもらったの生まれて初めてだ。それにしても聞きたいことをズバリ、ストレートに聞いてくる人だ。まあいいけど。

じつはQ社のT氏とは一度だけ会ったことがあった。Q社に手紙で売り込んでも反応が一切ないので、血気盛んだった私はアポイントも取らずに（というのもアポイントを取ろうとしても門前払いされると思っていたからである）いきなりQ社に飛び込みでいったことがあった。そのときに対応してくれたのがT氏だっ

大切なのは今後だ
その後、P社に雑談をしに訪れ、それをきっかけに翻訳書出版の話が決まり、実際に出版に至った。そう考えると『7つの習慣』の第2弾さまさまである。

た。そのT氏からメールが届いたのだ。

私はちょっとT氏に電話をしてみることにした。

「もしもし、宮崎と申します。Tさん、いらっしゃいますでしょうか」

「はい、私がTですが」

「ご無沙汰しております、宮崎伸治です。先日はメールをありがとうございました」

「え？　宮崎さん？　すみません、どこの宮崎さんでしょうか」

「あの、先日、『7つの習慣』をお送りいたしました宮崎です」

するとT氏は素っ頓狂な声を出した。

「えええ？　あの有名な宮崎さん？　えええ？　こりゃ、また失礼しました。いやぁ～、宮崎さんからまさかお電話をいただけるなんて……」

T氏のあまりの驚きように一瞬、吹き出しそうになった。T氏は咄嗟に「あの有名な宮崎さん」と言った。そう、宮崎さんに「有名な」が付いていたのだ。そんなこと言われたの、生まれて初めてだったが、意外に心地よかった。そうそう、よくわかってらっしゃる。私こそが「あの有名な宮崎さん」なのだ、イエーイ！

ありがたいことに『7つの習慣』の威光は効果抜群だった。次から次へとほうぼうの出版社から仕事が舞い込み、数カ月後には合計7冊の著訳書の仕事を同時に抱える「売れっ子」になった。予定が1年先までびっしり埋まり、私の職業人生ピークの1年が始まったのである。一方、私に「考え方が甘すぎますよ」と忠告した女性編集者からは一切なんの連絡も来なかった。例の写真を見て驚いたのかどうだったのか。でももうそんなことどうでもよくなっていた。彼女のことなど意識にのぼる間もないほど多忙になっていたからである。

某月某日 「二足のわらじ」を脱ぐ：「空ってこんなに青く美しかったのか」

第1章で私は出版翻訳家志望者には「二足目のわらじ」を履くことを勧めた。それは生活を安定させる上で大いに役立つからである。しかし「二足目のわらじ」など履かなくても十分生活できるのであれば履く必要はない。漫才師が漫才師の収入だけで、歌手が歌手の収入だけで、ピアニストがピアニストの収入だけで食べていけるのであればアルバイトなどしなくてもいい。いや、しないほうがいいのと同じである。それだけやりたいことに専念できるからだ。

では、出版翻訳家が「二足目のわらじ」を履かなければ（つまり専業の出版翻訳家になれば）いったいどんな良いことがあるのか。ここでは私の体験を踏まえて、その良さについて述べてみたいと思う。

私は35歳のときに最高の「二足目のわらじ」を探し当てたわけだが、それは生活を安定させる上で大いに助かったし、翻訳作業の妨げになるどころか逆に翻訳作業が進むアルバイトでもあったので辞めたいと思ったことは一度もなかった。そのままそこでアルバイトをしながら出版翻訳家としてのキャリアを積んでいくつもりでいたのである。

しかし諸行は無常である。「週2回、夕方5時半から翌朝9時までの電話番」のアルバイトを始めて3年経ったある日、いきなりアルバイトスタッフ全員に解雇通告がなされた。それまで「正社員1名＋アルバイトスタッフ1名」の計2名体制で宿直シフトが組まれていたが、業績の悪化に伴い、「正社員1名」で宿直シフトを組むことが決まったからである。

しかしアルバイトスタッフの私に逆らう術などあろうはずもない。通告がなされてから1カ月後、私は予定どおりクビになった。ただ恨みつらみはなかった。

楽なアルバイトを3年もさせてもらっただけでもありがたいという思いしかなかった。

その後、私は新しい「二足目のわらじ」を探し始めた。月10万前後の定期収入は生活を安定させる上で必要だと勝手に思い込んでいたからである。探し始めたのはまたもや仕事中に翻訳作業ができる宿直のアルバイトだった。

しかし応募しても応募してもなかなか採用まで至らない。宿直のアルバイトの多くは欠員が1人出たときにその欠員を補充する形で募集がなされるため、競争率も高く、採用を勝ち取るのは容易ではない。出版翻訳の仕事もこなしながら「求人誌でアルバイトを探し、電話をかけ、履歴書を送り、面接に行き、採用結果が判明するのを待ち、延々と待たされたあげくに落とされる」というサイクルを繰り返しているとさすがに疲れてくる。

そんなある日、ふとある考えが浮かんできた。

（もうアルバイトは探さなくてもいいのではないか。だって次から次へと翻訳の仕事が入ってきているのだ。これはもう神が私に「アルバイトをせずに翻訳家に専念しろ」と命じているということだ。そうだ、きっとそうだ）

そう悟った私は部屋を飛び出し、隅田川沿いの公園まで走って行った。そこで両手を大きく広げ、空を見上げると、それまでまったく気づかなかった空の青さ美しさが目に飛び込んできた。

（空ってこんなに青く美しかったのか。アルバイトを探さなければならないという固定観念に囚われていたため気づくことすらなかった。それが今、空の青さ美しさを観賞する余裕が生まれた。そうだ、もうアルバイトなんてしなくていい。もう探すのはやめよう。今この瞬間、私は専業の出版翻訳家になったのだ）

21歳からの夢の夢のそのまた夢であった専業の出版翻訳家としての人生がスタートした瞬間だった。かくして私はその後の17年間、どこにも勤めに出ることがない生活を送ることになった。

さて、では「二足のわらじ」を卒業して何が良かったのか。

良いところは大きく分けて3つある。

一つは時間にしばられなくなることだ。これは出版翻訳家の特権ともいえる。自由業は多種多様あるが、この特権が持てる職業はそう多くはないだろう。漫才師もピアニストも歌手も棋士もプロ野球選手もさすがにこればかりは真似できまい。彼らは自分の好きな仕事をしているといっても時間にはしばられている。その点、出版翻訳家は「この本を何月何日までに訳してください」という形で仕事が入るので、その締切を守りさえすれば、あとは時間にしばられないのだ。1日24時間、いつでも好きなときに好きなだけ仕事ができる。逆にいえば、いつでも好きなときに好きなだけ休憩が取れる。したがってデパートだの病院だの映画だのと、どこに行くのも空いている時間帯に自由に行けるし、早朝割引などのタイムサービスの恩恵も授かれまくりだ。このメリットは計りしれない。

一つは空間にしばられなくなることだ。通勤電車などとは無縁の生活が送れる。事実、私は東京での生活が数十年になるが、出版翻訳家になって以来、電車は年に数回しか乗ることがなくなった。その必要がないからだ。翻訳作業は原書（私は荷物を軽くするために、原書はコピーを取って、その日に訳す部分だけを持ち歩いている）とノートパソコンを持ち歩けば自宅でも図書館でも喫茶店でもファミレスでもできる。いやそれだけではない。帰省先でもできるし旅行先のホテルでもできる。だから「花粉症だから1週間ほど沖縄に旅行してくるか」も「夏で暑いから北海道に2週間行ってくるか」も余裕で可能になるのだ。実際、重度の花粉症患者*であった私は春先になると北海道や沖縄に行っては1日5時間くらい翻訳作業を行なって「よく遊び、よく働く」を実践していた。これぞ究極のテレワークだ。それが可能なのが出版翻訳家なのだ。

重度の花粉症患者
私は子どものころから重度の花粉症患者であったが、「シダトレン（現在はその進化版のシダキュア）」で完治した。

一つは人間関係にしばられなくなることだ。会社に勤めていれば、理不尽なことを言ってくる人、すぐに怒る人、バカにしてくる人、残業を強要してくる人……と嫌な人はいるものである。私にも嫌な人はいた。しかし集団生活をする以上、嫌な人がいるのはむしろ当然のことであり、ある程度我慢せざるをえないものである。しかしこれがけっこうなストレスになる。正直なところ、難解な英文を訳す苦労と嫌な人に悩まされる苦労とを比較すると後者のほうが10倍もつらい。前者は苦労のあとに作品ができるという希望があるが、後者は不毛なことが多いからだ。

専業の出版翻訳家になれば、嫌な人に日々悩まされることがなくなる。というのも、そもそも出版翻訳家は究極のテレワークともいえるほど人間関係が希薄な職業だからである。ただし人間関係がまったくないわけではない。本を出してもらう以上、編集者とのやりとりが発生するからである。しかしそれは一般の職種から比べればほんのわずかであり、頻発することはない。

このように専業の出版翻訳家になり、経済的にも心理的にも独り立ちできれば、時間にも空間にも人間関係にもしばられることがほとんどなくなる。そしてその結果、極めて自由度の高い生活が送れるようになる。自由度の高い生活を手に入れたい人には出版翻訳家は向いている職業といえよう。

某月某日 つまんない仕事：出版翻訳家の可能性について

「そんな仕事ばっかりやってて、つまんなくないですか？」

これは私が38歳のときに結婚相談所で知り合った女性*に初めてのデートで投げかけられた言葉だ。

彼女は私が「文筆家・翻訳家」であることはプロフィールを見て知ってはいたが、きっと「年収1100万円*」も見逃してはいなかっただろう（というよりそこに惹かれていたのかもしれない）。文筆家としてよりも翻訳家としての仕事のほうが多くなっていることは彼女に伝えてはいたが、彼女のほうからはそれ以上私の仕事について聞いてこないのだから私の仕事の実態など何も知らなかったはずだ。

そんな彼女が初めてのデートで、いきなり

「そんな仕事ばっかりやってて、つまんなくないですか？」

結婚相談所で知り合った女性 彼女の趣味は洋画鑑賞。結婚を焦っていた私は彼女を将来の妻の候補として考え始めようとしていたところだった。

年収1100万円 専業の出版翻訳家で年収1000万円を超しているのは、ほんの一握りではないかと思われる。私の場合も『7つの習慣』第2弾の増刷印税がガバガバ入っていたこの年が最高年収であり、その後徐々に下がっていった。

と宣ったのである。

「つまらなくないですか？」ではなく、「つまんなくないですか？」である。一応、疑問文であるから質問をしているかのようだが、彼女の口調からすれば「そんなつまんない仕事よく続けられますね」と言わんばかりであった。

私は返事をしなかった。というより返事をしようにも言葉が出てこなかった。心の中でこんな思いが交錯していたからだ。

あなたは私が「文筆家・翻訳家」であることは最初から知っていたはずだ。それを知っていてデートに誘ってきた*のはあなたのほうではないか。私が「つまんない」仕事をしている男だと思っていたのなら、なぜ私をデートに誘ったのだ。年収1100万円に目がくらんだのか。お目当てはそれか。

それにあなたは洋画鑑賞が趣味だと言う。しかし洋画が観られるのは翻訳家のおかげだとは思わないのか。翻訳家がいなかったら、外国語ができないあなたはどうやって洋画鑑賞するつもりなのか。

あなたは私が「つまんない」仕事をしていると思うかもしれないが、私が訳した海外の小説が映画化される可能性だってあるし、将来、私が字幕翻訳家になる可能性だってある。そういう可能性を秘めた夢のある仕事だとは思わないのか。

デートに誘ってきた
初回は30分ほど相談所内の個室で面会する。その後は2人の自由にまかされるが、たいていは2人で近くの喫茶店に行くという流れになる。彼女のときも2人で喫茶店に行き、そこで彼女のほうから「またお会いしましょう」と言われた。

こういう思いが心の中で堂々巡りしているのだから、当然、会話は上の空になる。

彼女が話題を変えて、

「この前、スペイン村*に行ったんですよ。楽しかったです」

と言ったときも、

「へぇ、それって、どこにあるんですか」

と必死で関心があるふりを装って言ったものの、心の中で考えていることは違っていた。

（スペイン村を造るのにも翻訳家がいなければスペイン村などできるわけがないだろう。翻訳家がいなかったら、あなたも楽しい思いができなかったんだよ。あなたにはそれがわからないのか）

こんな感じだから、当然、再会しようという話が出てくることはなかった。

私は、彼女が出版翻訳家の実態を知らないことに立腹したのではない。それはむしろ当然のことだ。それくらい出版翻訳家の実態はベールに包まれているし、一般の人から見れば、翻訳家は部屋に籠もって英文をしこしこと日本語に訳しているだけに思えるのだろう。だから彼女のように思う人がいても不思議ではない

スペイン村
三重県志摩市にある複合リゾート施設「志摩スペイン村」。行ったことはない。

し、人と接するのが好きな人にとっては翻訳なんて「つまんない」以外の何物でもないだろう。

　また私は、彼女が出版翻訳家の仕事に興味を持たなかったことに立腹したわけでもない。興味がないこと自体は悪いことではないし、ほとんどの人は出版翻訳家の仕事に興味などないだろう。

　しかし私についてまだ何も知らないうちから、何も聞かないでおいて、いきなり「そんな仕事ばっかりやってて、つまんなくないですか？」はいただけない。この一言によって私の心の中で膨らみ始めていた風船が徐々にしぼんでいくのがわかった。

　ここで一般の人を想定してみよう。おそらく多くの人は彼女と同じように出版翻訳の仕事「ばっかり」やることは「つまんない」と思っているのではないだろうか。私はそれが悪いと言うつもりもないし、そういうものだとも思う。

　では実際のところはどうなのか。ここでは私の体験を元にその辺のことについてお話ししてみようと思う。

　まず私が声を大にして言いたいことは、出版翻訳の仕事はたとえ専業であってもそれ「ばっかり」やらなければならないわけでもないし、「つまんない」わけでもないということだ。

よくあるのは原稿の執筆依頼が入ってくることである。たとえば、時間管理学の本を訳して出せば時間管理について記事を書いてほしいとか、ストレスの本を訳して出せばストレスについての記事を書いてほしいという依頼が来る。翻訳書を出せばその道のオピニオンリーダーと目されるからである。別にその道の権威でなくても、少なくともその翻訳書に関しては誰よりも内容を熟知しているわけであるから、その知識をベースに記事を書けばいいわけである。私もそれでやってきたが、なんとかなった。というより、それでいいのだ。

著書の執筆依頼が入ってくることもある。翻訳書を出せば翻訳のプロとか英語のプロと見なされる。数ページのビジネスレターを訳す程度なら、ちょっと翻訳をかじった程度の人でもできなくはないが、1冊の本を訳すのは実力に加えて忍耐力や時間管理能力もいる。いやそれだけではない。出版社に認められなければならないのだから自己PR力もいる。翻訳書を出しているということは、それだけでそのハードルを越えているという証明であるから、それだけ著書の執筆依頼が入ってくる可能性が高まるのだ。

一番おいしい思いができるのは雑誌や新聞などのインタビューだ。なぜかといえば、短時間で終わるし、先生扱いされるし、それなりに高額な報酬がもらえる*からである。

　若くて可愛い女性が私のことを先生先生と崇めながらインタビューをしてくれ、ペラペラとしゃべりたいことをしゃべってスッキリして、その報酬までもらえるのだから、そんな仕事が「つまんなく」なんか、あるわけがないのだ。

　ほかにも可能性としてならいくらでも楽しいことはある。原著者が来日したら原著者と会食できるかもしれないし、自分の訳書がミリオンセラーになったら紅白歌合戦のゲスト審査員として呼ばれるかもしれないし、ヒットした洋画の原作を訳せばその映画の主演女優に会えるかもしれないし、ノーベル賞作家の原作を訳せば自分の文才も磨かれてノーベル賞作家になれるかもしれないし、そうなったらその賞金と印税でスペイン村を買収できるかもしれないし、もう可能性は無限だ。けっして翻訳「ばっかり」しこしこやっているだけで終わりの「つまんない」仕事ではないのだ、わかったか！

それなりに高額な報酬がもらえる
雑誌や新聞のインタビューを10回以上受けたが、1時間だと5000円か1万円が多い中で、最高額は1時間で3万3000円だった。時給33万3000円である。そんな高額なアルバイト、そうあるものではなかろう。

某月某日 **最大の関心事：「マーフィー」ファンからの手紙**

私が翻訳書担当の編集者についてもっとも驚いていることは、彼らが翻訳のクオリティーに対する関心があまりにも薄いことである。彼らにとって最大の関心事は売れたか売れなかったかであり、売れない翻訳書は翻訳のクオリティーに関係なく「失敗作」なのである。

私に翻訳の依頼をする場合も、私が超特急で訳文を仕上げてくれるからという理由で頼む編集者がほとんどである。私は「困ったときの宮崎先生」というフレーズを複数の編集者から何度となく聞かされたが、これは出版できる原稿がなくて「困ったとき」に超特急で原稿を仕上げる「宮崎先生」に頼むしかない、という意味のようである。

私はすでに旧訳が出ている原書の新訳*を依頼されたことが何度かある。マーフィーの本もそうだったし、デール・カーネギー、ロバート・シュラー、トマス・ハリスの本もそうだった。スウェーデンボルグに至っては5種類以上の旧訳

新訳
すでに翻訳書が出ている同じ原著を新たに訳して出すことがある。

がすでに出ていた。

ではそういう場合、私は何をするか。私はその機会をうまく利用して自己ＰＲ用の資料を作るのである。その資料は、私の訳文と旧訳の訳者の訳文が比較できるようにしたものである。ただ、編集者も忙しい人たちであるから、私は新訳と旧訳がすぐに比較ができるよう、著しい差が出ている箇所を強調して示している。これを見せることで、

（ほら、この翻訳家はここをこう訳してるでしょ。でも同じところを私ならこう訳すのです。この違いがおわかりですか。どちらの翻訳家の訳で読みたいですか）

と私の翻訳のクオリティーを吟味してもらおうと思っているのである。翻訳のクオリティーに関心がある人なら飛びつくような興味深い資料*にできていると自負している。

ところが、私のこの資料に関心を払う編集者がなかなかいないのである。その証拠にこの資料を読んだと思える発言をした編集者は皆無である。この資料を送ったこと自体に気づかなかった編集者もいる。

「え？　そんなもの、送ってくれてましたっけ？」

興味深い資料
本書をお読みの翻訳書担当の編集者で私の自己ＰＲ用の資料を見てみたいと思う方は喜んでお見せします。ただしなんらかの仕事を私に依頼していただくことが前提です。連絡先メールアドレスは MXA00442@nifty.com

というのがよくある反応である。そのたびに、ああ、この編集者も翻訳のクオリティーに関心はないのだろうなぁと思ってしまうのだ。

誤解しないでほしいが、私はそんなことでは落胆はしない。関心がないものに関心を持てと言うつもりはないし、そもそもそんなことは最初からあまり期待などしていないのだ。

ただ、私に旧訳が出ている原書の新訳を打診した編集者がこの資料に関心を払わなかったときは少し落胆した。私はその出版社の編集長が「旧訳を新たに宮崎に翻訳させるとどういう訳になるか」を知りたがっていると思ったので、その資料を担当編集者に送っていたのだが、彼女はその資料を編集長に見せてもいなければ話すらもしていなかった。

その事実が判明したとき、私は思った。

(旧訳を新たに訳し直すときって翻訳のクオリティーを高めて出したいからではないの？　もしそうでないのなら、なぜ新訳を出したがっているの？)

彼女のように翻訳のクオリティーに関心が薄い翻訳書担当の編集者は少なくないが、私の翻訳のクオリティーを認めてくれた編集者がいなかったわけではない。

マーフィーの訳書*を出した後、私はすぐに編集部に呼ばれ、次の作品の翻訳を依

マーフィーの訳書
ジョセフ・マーフィーの

頼された。そのとき編集長は大喜びでこう言ってくれた。

「宮崎さんの訳はすばらしい。マーフィーのファンだという読者から手紙が来まして、今までずっと大島淳一の訳で読んでいたそうなのですが、大島淳一よりも宮崎さんの訳のほうが優れた訳だと書いてありましたよ。宮崎さんの訳は正確だし日本語としても読みやすいって。もう宮崎さんは、ウチ専属でお願いしたいですよ。絶対にほかに渡したくないですね」

これは翻訳家にとっては最高に嬉しい言葉だ。私はお金よりもむしろこういう評価が欲しいのだ。

あとから知ったことだが、マーフィー本を訳したその大島淳一氏というのは渡部昇一氏のペンネームであった。ということは、渡部昇一氏の訳よりも私の訳が良いと言ってくれた読者がいたということになる。私と渡部昇一氏は手がけているジャンルも似通っていたこともあり、私の訳書に渡部昇一氏を「監修」とか「解説」としてつけたいという提案をされたことが何度かある。実際、第2章でお話しした女性編集者もそれをしたがっていた。しかしそんな提案をする彼女に「渡部昇一氏の訳よりも私の訳が良いと言ってくれた読者もいました」とでも言ったらどう反応しただろうか。

本は出版社から依頼されて翻訳出版した。マーフィーは知名度も高く、出版社の編集者はもちろん、一般の人でも知っている人が多かった。よく誤解されるのだが、「マーフィーの法則」のマーフィーではない。ちなみに「マーフィーの法則」はジョセフ・マーフィーの著作のパロディとも評される。

もちろん一人の読者からそう評価されたとしても、それだけで私の訳が大島氏の訳より優れているという証左にはならない。もし大勢の人が私の訳と大島氏の訳を読み比べれば、大島氏の訳が良いという人も出てくるだろうし、そういう読者のほうが多いかもしれない。

しかし、たった一人であっても私の訳を大島氏の訳より読みやすかったと評価してくれた読者がいたことは、21歳のときからずっと翻訳に専心してきた私にとっては大きな心の支えとなったのは事実である。

（そうか〜、世の中には宮崎伸治の訳のほうがいいって言ってくれる人もいるのか〜）

そう思うと私の長年の努力も捨てたものではなかったと実感するのだった。業界人から一目置かれる『7つの習慣』の第2弾も出せたし、訳文を評価してくれる読者もいるし……そう考えると私には前途洋々なる未来が確約されたものに思えた。

当時の私は、その後自らにどんな転落人生が待ち受けているかなど知る由もなかった。しかしそのとき〝まさかの転落劇〟の幕が開こうとしていたのだった。

第4章

そして私は燃え尽きた

某月某日　**翻訳代金前払い**：「だからウチで出すって！」

冬のある日、E出版*の社長から電話があった。どうやら私に超特急の翻訳の仕事を頼みたがっているようだった。

「私の知り合いの外国人が本を書いて私のところに編集作業を頼みに来たんだ。編集した後、ウチで翻訳書として出そうと思っているんだけどね。あいつは人間的にはまったく信頼できないが、金儲けがうまいからね。きっと翻訳書を出してもうまくセールスしてくれると思ってるんだ。もう英語では最後まで書いているらしい。彼も日本語はある程度できるから自分でも日本語に訳せるらしいんだが、やはりきちんとした日本語にしたいからって実績のある翻訳家に翻訳を頼みたいらしい。だから宮崎さんに翻訳してもらえればと思ってね。どうですか。翻訳料は前金で全額支払うって条件なんだけど。ただ超特急でやってもらいたいんだよね。どうしても4月に出したいので1月末までに仕上げてほしいんだよ」

翻訳料が前金で全額支払われるというのは当時の私には喉から手が出るほどの

E出版
当時、翻訳物や健康関連書をよく出していた新興出版社。社長と若手社員だけの2人出版社だった。

好条件だった。当時の私は結婚相談所でお見合い相手を探していたのだが、出版翻訳家という不安定な職業に就いている私にとって、年収欄に記入する数字*を少しでも高めておくことは極めて重要だったのだ。そんな折、前金で払ってくれるというのだから金銭欲がかきたてられないわけはない。それに自分の訳者名で翻訳書が出せることは翻訳者としての実績を積み上げることになるから二重に喜ばしいことだ。

ただそうはいっても、二つ返事ですぐに飛びつくほど未熟ではなかった。仕事欲しさに仕事に飛びついた結果、何度も痛い目に遭っていたからだ。少なくとも支払い条件はきっちり聞いておかなければならない。

「ちなみに支払い条件って、どういう条件ですか」

「400字あたり2000円で計算するので、1冊全部訳して150万円。それ全額前払い」

400字あたり2000円というのは良くはないが、悪くもないレートである。ただ、細々としたビジネス文書を何十件も仕上げることを考えれば、大きな仕事をひとつもらって取り組んだほうが手間や雑用も少ないし、なにより自分の訳者名で翻訳書が出せるというのがありがたい。そう考えればそこそこ良い条件であ

年収欄に記入する数字
私が入会していた結婚相談所のプロフィール欄には過去2年の年収を記載するようになっていた。嘘にはついていい嘘といけない嘘がある。年収や学歴をごまかすのは後者に属すると考えた私は、たとえ自己申告にすぎない年収欄の数字も「盛る」ことはしなかった。

る。

「で、その翻訳料って、どこから出るんですか」

「いや、それは宮崎さんは気にしなくていいですよ。宮崎さんとしては払われればいいわけでしょう、払われれば」

ここで少しでも警戒していればよかったものの、お金と実績が欲しいばかりに私は疑いをかけなかった。

「まあ、そうですけど……」

「どうですか、やってもらえますか」

「でも、それって、まだ御社から出すってことが正式決定したわけではないんですよね。現時点では編集作業だけを頼まれたってことだけなんですよね。まだどの出版社から出るとも決まっていないんですよね」

すると社長は声を荒げてこう言った。

「だからウチで出すって！　編集作業だけ引き受けるって、そんなたいして金にもならんことやるわけないだろう。編集作業を引き受けるってことは、当然その本もウチで出して金儲けにつなげるってことだよ」

「御社で出すと？」

「当たり前だよ」

私は社長の声色に尋常でないものを感じとった。何がなんでも私に翻訳を引き受けさせたいといった威圧感である。おそらく私以外に超特急の仕事を引き受けてくれる翻訳家がいないのだろう。

「それはそれでわかりました。でも、引き受ける前にひとつだけ確認させておいてください。その翻訳書って、翻訳者として私の名前は表紙に載るんですよね」

「そんなの当たり前じゃないか」

私もふつうの原著者だったらこんな質問をすることはない。しかし社長自らがその原著者のことを「他人の手柄をかすめ取るのが得意だ」だの「あの人は自分のことしか考えられない人だ」だのと言うものだから心配して尋ねたのである。

「いやいや、その原著者、自分が最初から日本語で書いたってことにして、翻訳者として私の名前を表紙に載せないとか言い出すんじゃないですか」

「そんなことあるわけがないじゃないか」

「いやいや、それ大事なことですから、直接本人に確認しておいてください。その確認が取れてから仕事を引き受けさせていただきます。私は下訳だったら仕事は引き受けられませんので」

「そこまで言うのなら今度会ったときに確認しておくよ。でもそんな心配しなくてもいいのになぁ。そんな当たり前すぎるくらいに当たり前のこと」

数日後、社長から電話があった。原著者に確認したところ、私の名前を訳者として表紙に入れることは了解しているとのことだった。それを確認した私は正式に仕事を引き受ける約束をした。社長が仕事を依頼していたときの尋常ではない雰囲気を察していたにもかかわらず、引き受けてしまったのだ。

数日後、150万円が口座に振り込まれた。* これはありがたかった。その前年の年収は1100万円だったが、その年は750万円まで落ちていた。それがこの仕事を引き受けたおかげで年収900万円になったのだ。

しかし、前金で払ってもらった以上は何がなんでも1月末までにすべてを訳し終えなければならなくなったということである。かくして私は超特急の仕事に取りかかった。クリスマスも大晦日も正月もなかった。1冊の本を5分割にし、5分の1訳し終えるごとに提出する段取りだったが、5分の1の訳文を提出した後、社長から電話がかかってきた。原著者にも訳文を見せたところ、よく訳されているので喜んでいたという。

(よし、訳文のクオリティーも合格点がもらえた。あとは最後まで完走するのみ

口座に振り込まれた
仕事を始めてもいないのに翻訳料が振り込まれたのは初めてのことだった。

だ）

かくして私はその後も5分の1ずつ提出し、1月末という締切を死守した。

社長の話では4月に出版する予定であったし、すぐゲラを作ると言っていたのだが、4月になっても5月になっても6月になっても7月になっても放置されたままだった。

私は催促するのは好きではない。催促される側はもちろん嫌だろうが、催促するほうだって相手を不快な気持ちにさせはしないだろうかと気を遣う。それでも私のほうからアクションを起こさない限り、いつまで経っても放置されたままなので、7月に暑中見舞いのハガキの中でやんわりと進捗状況を尋ねた。

ハガキを投函した翌日、社長から電話がかかってきてこんなことを言う。

「宮崎さんに仕上げてもらった訳文は、今、原著者に渡しています。専門用語だけは本人にチェックさせたほうがいいだろうという判断でそうしました。ただ、返事が返ってきていないんです」

「4月に出すという話はどうなったんですか」

「宮崎さん、本というものは早く出せばいいってもんじゃないんだよ。せっかく出すんならきちんとした形にして出したほうがいいんでね」

こう言われては反論のしようもない。やがて8月になり9月になり10月になった。待たされる側にとっては地獄の長さである。

そんな10月のある日、やっとのことで社長から電話がかかってきた。

「先日、原著者と会ってね。ようやく契約を結ぶことになったんだよ。一応、おおまかなことは合意に達しているんだけどね。契約を結んだら、正式に出版に向けて進められることになるから、もう少し待っててください」

（え、契約結んでいなかったの？　契約結んでいなかったのに私に超特急の翻訳を依頼していたの？　もしこれから話し合いがまとまらず、契約が結ばれないなんてことになったら、どうするつもりなの？）

不安がよぎったが、今さらどうにかなるものではない。無事に契約が結ばれることを祈るしかないのだ。

数日後、社長から電話がかかってきた。どうやら原著者と意見が衝突したようだ。

「先日、あいつが自分で作った契約書をウチにファックスしてきたんだが、自分の都合のいいことばっかり書いてるんだよ。口頭での約束では初版の1万部に関しては、売れ残った分は全部あいつが買い取るって言ってたんだよ。*だから私は

＊あいつが買い取るって言ってたんだよ

出版をＯＫしてたんだ。なのに、あいつがファックスしてきた契約書には、売れ残ったら、売れ残った分だけ〝その印刷費用で〟買い取るって書いてあったんだよ」

（なんだ、そんな重要なことも詰めていなかったのか）

しかし原著者と社長がケンカして出版が中止になってしまったら、翻訳家である私にとっては重大事だ。翻訳料の１５０万円はもらってはいるが、お金だけのために翻訳を引き受けたわけではない。私の翻訳書として出してもらわなければならないのだ。社長は社長で金儲けがしたいのはわからないでもないが、今さら翻訳書を出さないなんて言われたら私は困るのだ。

一晩考えた上で私は社長に対し、ファックスでこう提案してみた。

「私としても自分が訳した本ですから、ぜひ出版されることを望んでいます。つきましては私のほうでも２５０部を定価の８掛で購入させていただきますので、ぜひ出版の方向でお考えいただけないでしょうか」

本来なら翻訳者である私が２５０部も買う必要などない。そこを少しでも金銭的援助になればという思いから善意で提案したことだった。

私がファックスを流してから数分後に社長から電話がかかってきた。

「買い取る」の意味をきちんと詰めておけばこのような衝突は起きなかったものと思われる。当時の私はさすがにそんなことまで予想できなかった。

「本を1冊作るってのは莫大な金額がかかるんだよ。宮崎さんに250部買ってもらったからといっても、そんなのなんの足しにもならんよ。あいつは人間的に信用ならん。あんな人間の本を出したら、のちのちウチの評判も悪くなりかねない。そもそもあいつが契約の直前になってから非常識なことを言い出すのが悪いんだよ。すべてあいつが悪いんだ。あんな奴の本なんか出したくなんてないね。たとえ売れたとしても出したくないよ。あいつの本で金を儲けても、ちっとも面白くないからね」

私は言葉を失った。ここまで毒づいているのだから、もうE出版からは出版されないのだろう。だが、きっとこの原著者、E出版から出せないとなると別の出版社に自分が日本語で書いた本だと言って売り込みに行くに違いない。となると私の名前は載らずに出てしまう。それを阻止するためにもこの原著者の連絡先を社長から聞いておかなければならない。そのためにも私は社長とはケンカはできないのだ。そんなことを考えていると、社長はこんなことを言った。

「仮に100万部売れるのだとしても出したくないよ、あんな奴の本。いや待てよ。100万部売れたら、いくら入ってくる？　何億ってなるよなぁ。そうかぁ、何億か。100万部確実に売れるんだったら、やってもいいかなぁ」

話は消えてなくなった
あとからわかったことだが、社長は原著者から前私はもはや返す言葉がなかった。

こうしてE出版からその翻訳書が出るという話は消えてなくなった*。

そして悪い予感は的中した。原著者はその本を自分で日本語で書いたと言ってほかの出版社に売り込み始めていたのである。

某月某日
前代未聞の犯罪：訳者名を表示せず書籍刊行

私は怒り狂っていた。私の人生最大の怒り狂いようだった。誰に対して怒り狂っていたかといえば、原著者に対してである。

出版翻訳家として怒ったことはそれまでにも何度もあった。印税をカットするだとか、印税の支払い日を遅らせるとか、出版そのものを中止にするとか、そんなことをされるたびに私は怒っていた。でも、そんなのは「よくある話じゃないか～」と日吉ミミ（この歌手知っているか？）が歌い始めれば「たしかによくある話ではある」と説得されそうな感じがしなくもない。というのも実際よくある話だし、編集者の立場に立ってみれば、まあわからなくもない。編集者とて所詮

金としてそこそこの額の編集費を受け取っていたらしい。その編集費欲しさに原著者との契約を詰める前に翻訳家を決めたがっていたのかもしれない。

は人間。だから金がいる。家に帰れば腹を空かせた乳飲み子が待っているかもしれないし、金や高級家具や海外旅行を要求する乳房、じゃなかった女房も待っているかもしれない。だからなんとかして金を余分に稼ごうとするのはわからなくもない。

しかしその原著者がやってのけてくれたことは、そんな「よくある話」ではなく、業界史を見渡しても前代未聞の犯罪だった。

ではいったい何をやってのけてくれたかといえば、訳者名を表示せずに訳書を出す指示を出版社に出したのだ。

ではなぜそんな指示を出したのか。原著者はその本を自著として出すことによって自分に日本語執筆能力があることを誇示したかったからである。ちなみに原著者は中途半端な日本語執筆能力はあったが、日本語で自著を書くレベルからはほど遠かった。

原著者はE出版の社長と衝突してE出版からの出版が消えると、案の定、私に相談することもなく勝手にF舎*に売り込んだ。その際、自身が日本語で執筆した本だと嘘をついて売り込んだわけだが、F舎はそれを鵜呑みにして原著者の自著として出そうとしていた。

F舎
子会社を複数有する出版社。テレビなどにも出演する著名社長には複数の著書もある。

しかしそんな犯罪を見過ごしてたまるか。私は原著者にメールを送り、翻訳をしたのは私であること、私の訳者名で翻訳書を出すという約束であったこと、私の名前を表紙から外して出すのは認めないことを伝えた。

原著者はその後、私に電話をかけてきて「私は読者に日本語が書けると思ってもらいたいのです。だからこの本は私とあなたの共訳ということにしてもらえませんか」とか「それがどうしてもダメならあなたが訳者というのは認めますが、私を監訳者として載せさせてもらえませんか」などと相談してきたが、キッパリ断った。

考えてもみてほしい。原著者が「著者」で私が「訳者」でその「著者」と同一人物が「監訳者」だなんて笑止千万だ。表紙にどう載せるというのだ。というより、そもそも翻訳をしていない原著者がなんで「共訳」とか「監訳」という形で「訳者」の中に入り込もうとしているのだ。

原著者はしぶしぶと私の訳者名を表紙に載せることに同意したが、内心では腹を立てていたのだろう。そしてその腹いせに私の訳者名を外して出すことをＦ舎に指示した。そんなことを実際に出版社に指示するような人間は世界中でこの原著者一人しかいないだろう。まったく驚くばかりの人物である。そしてあろうことかF舎は本当に私の名前を表紙から外して出した。弁護士費用も高くつくから私が泣き寝入りするとでもタカをくくっていたのだろう。

思い返せば、おかしいと思うふしがあった。見本書籍はどの出版社でも10冊贈呈してくれるのがふつうだが、その訳書に限っては「見本書籍の贈呈はありません」と言われたし、私が訳者割引*の制度を利用して2割引きでその訳書を買うと言っても、「買いたければ書店で買ってください」と突っぱねられた。こういう態度をとること自体、出版社自身がやましいことをやっていると自覚していたということだ。きな臭さがプンプンしていた。私の人生史上最大のきな臭さだった。

そしてそのきな臭さは発売日当日に現実化した。発売日の朝イチで自宅から自転車で30分の大型書店に行ってみると、その訳書の表紙から私の名前が外された形で出ていた。

（よよよよよくもやってくれたな！）

その瞬間、私の怒りのボルテージは人生最高レベルに達した。

（よよよよよくもこんなことをやってくれたな。こんなことは許さないぞ。なぜならこれは立派な犯罪だからだ。なぜならこれは私一人だけの問題ではないからだ。こんなことをされて黙っていたら出版業界そのものがおかしくなる。翻訳

訳者割引
著者や訳者は自著の購入にあたって1～2割程度の割引が適用される。F舎の場合は2割引きだった。

家を馬鹿にするのもいい加減にしろ）

私は私の人生最高の猛スピードで自転車を走らせて帰宅した。一刻も早く出版社にメールを送るためだ。ふだんは絶対に危険走行などしない私だが、もしかするとそのときは信号無視に近いことくらいやっていたかもしれない。頭にカーッと血がのぼっていたので記憶が定かではない。

家に戻ると、さっそく次のようなメールを担当編集者に送った。

――表紙に訳者名を載せずに出版するのは氏名表示権の侵害であり、刑法に触れる犯罪*です。しかも非親告罪ですから私が告訴する・しないにかかわらず貴社社長は逮捕される可能性があります。ただちに表紙を作り直すよう社長に相談してください。このメールを受け取ったら、受け取ったという内容だけでもいいので、とりあえず今日中になんらかの返事をください。今日中になんの返事もない場合、明日の朝一番で警察に通報しますのでご承知おきください――

メールを送った直後に返信があった。とりあえずメールは受け取ったが、返事は後日するとのことだった。

翌日、原著者からメールが来た。「F舎にクレームのメールを送ったらしいが

刑法に触れる犯罪
罰則規定も「５年以下の懲役又は５００万円以下の罰金」とかなり厳しい。

今後は二度とF舎にクレームのメールを送るな」という主旨の警告文だった。

（よし、そっちがそう来るのなら、やってやろうではないか）

私はすぐさま最寄りの派出所に飛び込んだ。しかし相談を始めるや否や、そんな相談は警察署に相談してくれと門前払いされた。そこですぐさま最寄りの警察署まで行ったのだが、そこでも相手の会社の所在地が管轄になるからそっちで相談してくれと門前払いされた。

そこで挫ける私ではない。早速、F舎の管轄の警察署を調べ、これ以上門前払いされないように電話でアポイントを取った上で相談に行った。

対応してくれたのはピーター・フォーク扮する刑事コロンボ*そっくりの初老の男性だった。刑事コロンボの大ファンである私は一気に期待が高まった。この人ならきっと私の問題を解決してくれるはずだ……。しかし相談を始めると、

「本に名前が載っていないの？　でも、これあなたが書いた本ではないんでしょ。翻訳しただけでしょ？　なら、いいじゃない。別に名前が載らなくても」

「いやいや、翻訳者の名前も載せるという約束だったのです」

「載せなきゃいけないの？」

「だって、翻訳書は二次的著作物*ですから、著作者と翻訳者の2名の名前を載せ

刑事コロンボ
アメリカで制作・放映された、ロサンゼルス市警察殺人課の警察官コロンボを主人公としたサスペンステレビ映画。日本でも音声吹き替え版で放送され人気がある。私は「刑事コロンボ」および「新刑事コロンボ」のDVDはすべて買い、すべての作品を10回は観た。何度観ても飽きないストーリーだし、英会話表現を習得する目的もあったためである。そのせいか、当時の私は刑事コロンボの仕草を無意識に真似るほどになっていた。

るものなのです。断りもなく訳者名を外して出すと著作権法に触れるのです」

「そうなの？　でも、そんなの、民事でやったらどうですか」

「これは刑法に触れるのですよ」

「そうなの？　過去に判例でもあったの？　調べてみた？」

「まだその辺は詳しくは調べていませんが」

「なんだよ、急に押しかけてきて。そんなことも調べてもないのかよ。こっちも忙しいんだからいちいち対応してられないよ。民事でやったらどうですか」

　私は「急に押しかけた」のではない。きちんとアポイントを取った上で相談に行ったのだ。もしそれが「急に押しかけた」ことになるのであれば、私はどうやって相談に行けばよかったのか。事前に書面で許可でも取らなければならなかったのか。迷惑そうに「なんだよ、急に押しかけてきて」と言ったときの彼の顔を見た瞬間、私は警察に相談するのをあきらめた。刑事コロンボのそっくりさんにそう言われたのだから、その分ショックも大きかった。

　よし、こうなったら弁護士だ。弁護士なら相談に乗ってくれるはずだ。そう決心した私はその後すぐに弁護士を見つけると、即刻、事件として依頼し、翌日には着手金40万円プラス消費税を支払った。惜しいとは思わなかった。これはお金

二次的著作物
「著作物を翻訳、編曲、もしくは変形し、または脚色、映画化、その他翻案することにより創作した著作物」を二次的著作物という。

の問題ではないのだ。やるしかないのだ。こんな犯罪、放置していてはいけないのだ。これは世直しという立派な「仕事」なのだ。そして世直しをするには時に血を流す必要もあるのだ。着手金の額を聞いて、いや〜そんなに高いのならやめておくわ〜なんて怯んでしまう人間ではないのだ私は。

弁護士はすぐに対応してくれたが、まずは相手側の弁護士に連絡を取って和解ができるかどうか話し合ってみたいと和解を提案してきた。

私は1日も、いや1分1秒でも早く表紙を直させたいのだ。というのもすでに私の名前が表紙から外された形で書店に出回っており、次から次へと買われていっているからである。

しかし相手側弁護士は時間稼ぎがしたいのか「あと1週間検討させてほしい」「あと1週間検討させてほしい」とのらりくらりの対応を続けた。しかも延々と待たされたあげくの回答も毎度真っ赤な嘘だらけだった。

最初の反論は「宮崎には下訳を頼んでいただけだった」という嘘だった。しかしE出版の社長がそれが嘘であることを陳述書*で主張してくれた。

その陳述書を相手側に見せると、すぐに主張を変えて「訳者名を出すか出さないかは訳文を見てから決めることになっていたが、宮崎の訳文を見てみたらあま

陳述書
日本の民事訴訟において用いられる、当事者から提出される証拠の一種。訴訟当事者や関係者の言い分などをまとめたものに本人が署名押印をした書面。

りにもひどい訳だったので宮崎の名前は外すことにした。最終的な訳文の９割は原著者の表現*になっているので、そもそも宮崎は訳者とはいえない」という突拍子もない嘘が飛び出てきた。こういうしょうもないやりとりが何度も繰り返されるわけだから和解の方向に進むどころか、和解からどんどん遠ざかっていった。

そうこうするうちに新聞に巨大な広告が出た。原著者の名前が著者名としてデカデカと載っていたが、案の定、私の訳者名はどこにも載っていなかった。しかもその巨大広告はその日１回だけではなく、その後も何度も新聞に登場した。それを目の当たりにするたびに私の虚無感が極大化し、やがて私は新聞を開くのが恐くなり、新聞の定期購読を解約した。

いやそれだけではない。書店でその原著者のポスターを見て以来、恐ろしくて書店に足を運ぶことすらできなくなった。作家兼翻訳家である私が新聞も読まず、書店にも行かないなんて先細り確定のポンコツではないか。でも、できなかった。その原著者の存在自体が私の人生を全否定するかのように思え、原著者を想起させるものを目にするのが恐くて恐くて仕方なくなったからだ。いわば新聞恐怖症かつ書店恐怖症に陥ったわけだが、そんな悩みを抱えていることは誰にも言えなかった。言っても理解してもらえそうになかったからである。

最終的な訳文の９割は原著者の表現
原著者が私に電話をかけてきたときにもこのように主張していたので、訳文を見せてほしいと求めたところ、見せてくれなかった。その後、訳書になったときに調べてみたが、ほぼ私の訳文のままであった。

発売から1カ月以上経ったころ、私も私の弁護士も相手の嘘と時間稼ぎに堪忍袋の緒が切れ、ついに差止請求訴訟*を起こす決意をした。訴訟を起こすには追加で20万円プラス消費税の弁護士費用がかかるが、和解に向けた話をしようにも毎回ことごとく嘘の主張を繰り返すのだから、もう差止請求訴訟を起こすしかない。その決意が決まるとすぐに訴状を出してもらった。

訴状を出した後は相手方がどう出てくるかが楽しみになった。毎度毎度嘘をついて時間稼ぎをしていた彼らを、もう待ったなしというところまで追いつめたからである。

（さあ、どう出る？　裁判でもまだ嘘を貫き通すつもりか。そんなこと本当にやるつもりか。どうなんだ⁉）

裁判期日の前日、相手方は「すでに表紙は作り直した」と言って白旗を揚げてきた。謝罪の言葉は一言もなかったが、仮処分を避けるためにこのような処置をしてきたのだと思われる。

（どうだわかったか。ふざけたことをやったら最後はこうなるのだよ。そんなに自分が日本語で書いた自著として出したかったのであれば、最初から「ゴースト翻訳」を引き受けてくれる翻訳者に頼めばよかったのだよ。その代金をケチって

差止請求訴訟
差止請求とは、ある者が違法・不当な行為を行なっている場合や行なう恐れがある場合にそれをやめるよう請求すること。私のケースでいえば、私の名前を表紙に表示せずに出版することは氏名表示権の侵害に当たるので、やめるよう請求すること。しかし通常の裁判（本訴）では結果が出るまでに歳月がかかり、その結果を待っていると著しい損害が出てしまうような場合は暫定的な権利や地位を定めるだけの「仮処分」を申し立てることができる。私のケースでは出版を中止する仮処分を申し立てた（仮処分で認められるのは仮の決定なので本訴で決着がついたときは本訴の結論が優先される）。

私に翻訳をさせ私の名前を消して出すからこんなことになるんだよ）

その後、慰謝料の額についての攻防が延々と続いたが、１年のやりとりを経てそれなりの金額*を支払わせることができた。表紙も作り直させた上で慰謝料もそれなりに支払わせたのであるから、完全勝利といっていいだろう。原著者にお灸をすえた形で決着がついた。これでいいのだ。いや、こうでなくてはならないのだ。

ただ経済的な側面を見てみれば、受け取った慰謝料よりも弁護士費用のほうが高くなり、トータルとしては持ち出しになってしまった。その額約70万円。でも後悔はなかった。世直しという「仕事」を完遂するには時に身銭を切ることも必要なのだ。これでこの原著者の被害にあう出版翻訳家がいなくなるのだったら高くはない。

この裁判沙汰を経験して痛感したことが２つある。ひとつはトラブルが多い出版業界に身をおいておくには本人訴訟ができる程度の法的知識は身につけておくべきということ。そしてもうひとつは仕事を引き受けるときに欲望に惑わされてはならないということである。

私は「翻訳料前金１５０万円」という好条件に惑わされ、仕事を依頼してきた

それなりの金額
日本ではそれほど多くの額にはならないのがふつうだそうである。この際は長期間の交渉の末、そこそこの額にはなった。それでも私自身は納得のいく額ではなかったが。

ときの社長の尋常ではない雰囲気を察知していたにもかかわらず、仕事を引き受けてしまった。それが私の人生最大の失敗の原因だった。しかも「他人の業績をかすめ取るのがうまい」などという原著者にまつわる噂も複数人から聞いていた*のだから、そんな人間には最初から関わるべきではなかったのだ。

私はこの事件が終わったころから、演歌「昭和枯れすすき」（YouTubeでも観ることができるぞ、すごいぞこの哀愁）の「貧しさに負けた〜、いいえ、世間に負けた〜」という歌詞を勝手にもじって「前金に負けた〜、いいえ、見栄に負けた〜」というフレーズを自然と口ずさむようになっていた。情けない話だが私は「前金」の誘惑に負けたのだ。いや、というより、結婚相談所のプロフィールの年収欄に記入する数字を７５０万円から９００万円に変えたいという「見栄」に負けたのだ。そしてそのおかげで約70万円を失い、新聞恐怖症かつ書店恐怖症にまでなってしまった。まさに人生最大の失敗だった。

この7年後、図らずも私は本人訴訟をする羽目になり、その代償として職業的な死を迎えることとなった。

原著者にまつわる噂も複数人から聞いていた
「関わってはならない人」にはそれなりの兆候がある。このときの私は前金１５０万円という金銭欲に溺れてしまい、その兆候を見逃した。

某月某日　生殺し地獄：「印刷機が壊れてしまいました」

出版時期をズルズルと待たされることは、出版翻訳家にとってはストレスの発散のしようのない一種の地獄である。この地獄を命名するとすれば「ヘビの生殺し地獄」、いや、「出版翻訳家生殺し地獄」だ。おそらく日本にはこの地獄を味わっている出版翻訳家は相当数いるだろう。しかも出版を延期されるたびにきな臭さのレベルをグングン上げられると、すでに地獄で喘(あえ)いでいるのに、さらにその一段階下の地獄に突き落とされる恐怖を味わうことになる。

（えええええ？　また遅れるの？　まさか出版が中止になるってことないよな？）

編集者よ、翻訳家がどれだけじれったい思いをしているか、どれだけ不安に陥れられているか、あなた方はそれがわかるか、え？

さて、ここではかくいう私が経験した「出版翻訳家生殺し地獄」の恐怖をお話ししようと思う。「待てば海路の日よりあり」という諺があるが、待っても待っ

ても待っても待っても何も起きないのがこの地獄の特徴である。あまりに何も起きないので「海路」がどうなっているか調べてみようと窓を開けてみたら「海路」そのものがなかったという途方のなさなのだ。

その翻訳書はG出版*から11月に出版される予定であった。ふつうなら発行予定日の1カ月前くらいになると出版社のほうから正式な初版発行部数と定価を教えてくれるものだが、10月に入っても一向になんの連絡もなかった。

翻訳原稿をアップするたびに編集担当者から翻訳のクオリティーの高さを褒められていたし、三校ゲラチェックまでやったのだから、いまさら出版が中止になることはないとは思っていたが、いつまでも連絡がないと一抹の不安がよぎる。というのも私は三校ゲラチェックまでしたのにずるずると2年も出版が遅らされ、挙句に出版を中止*にされたことがあったからだ。そんなヘビの生殺しみたいなこと、一度でもされると出版予定が少し遅れるだけで不安が募るようになる。

私は進捗状況を聞いてみようと思いたち、担当の女性編集者に電話をかけた。

「お世話になっております。宮崎です。11月に出版される予定と聞いていたのですが、そろそろ初版発行部数や定価は決まりましたでしょうか」

「その件でお電話差しあげようと思っていたのですが、今、出版時期に関して社

G出版
某法人のグループ出版社。代表の著作を多数出版するほか、月刊誌なども刊行。この仕事は、私の訳書を読んだというG出版の編集者からのアプローチだった。

出版が遅らされ、挙句に出版を中止
このときから約10年前にA書房との間で起きた事件（第1章に詳述）。じつはA書房の後もE出版にも全訳後ずるずる待たされた末に出版中止にされたり、最終的には出版されたものの全訳後に出版中止の相談を持ちかけられたことが3度もあった。そういうわけで私は「出版遅延アレルギー症」になっていた。

内でいろいろと検討しておりまして、もう少しお時間をいただけますでしょうか。今日明日にでもこちらのほうからご連絡差しあげますので……」

ところが１週間経ってもなんの連絡もない。おいおい、「今日明日にでも」連絡してくるんじゃなかったのか。たとえ細かいことでも約束は約束ではないか。簡単に破ってくれるな。でも再度電話をかける気にはなれなかったので問い合わせのメールを送った。

すると翌日、次のようなメールが返ってきた。

「お返事が遅れて申し訳ございません。宮崎先生の本の発行時期は11月初旬の予定でしたが、営業部からクリスマス商戦に持ち込みたいという強い意向が出され、12月初旬発行ということに変更させていただきたく存じます。ご理解のほどお願いいたします」

私は「了解しました」とだけ書いてメールを返しておいた。

ところが12月に入ってもなんの連絡もなかったので、居ても立ってもいられなくなった私は再度、編集者に電話を入れた。

「宮崎です。12月初旬に発行という話でしたが、どうなっているんですか」

「すみません、ご連絡が遅れて。ちょうど今、連絡しようと思っていたところだったんです。ちょっと印刷会社の印刷機が壊れてしまって遅れているんですよ」

「そうなんですか」

「すぐ直ると思いますから。直りましたら、またご連絡させていただきますので、少々お待ちいただけますか」

「印税の支払い時期も連動して遅れるのでしょうか」

「いえ、それも弊社で検討しまして、弊社の事情で出版が遅れているわけですから、きちんと1月20日にお支払いだけはさせていただきますのでご安心くださ い」

この時点でもまだ私は出版社の言うことをそのまま信じていた。いくらなんでも「印刷機が壊れた」という下手な嘘などつくはずはないだろうと思っていたのだ。

ところがその後、何日待ってもなんの連絡もなかった。印刷機が壊れたままだとすると印刷物は一切印刷できないはずだから大急ぎで直すはずだ。何日も壊れたままにしておくことなど考えられない。なのに連絡は一切ないままなのだ。

再度、編集者に電話を入れた。

「宮崎です。この前、印刷機が壊れたとおっしゃっていましたが、まだ直らないのでしょうか」

「すみません、ご連絡が遅れて。じつは今、社内で出版時期を調整していたところなんです。で、ご相談なのですが、せっかく出すのであれば、ほかの本と同時に出したほうが売行きが伸びるのではないかという意見が出ましてですね、12月下旬に発行ということでもかまわないでしょうか」

「え、また遅れるんですか」

「すみません。でも、もうこれ以上は遅れませんからご安心ください」

　ところがそのままなんの連絡もなく12月20日になった。私は遅れること自体を非難する気はない。やむをえない事情で出版を遅らせることもあろう。しかし、遅れるのなら遅れるときちんと事前に知らせるべきではないか。再度電話を入れようか迷ったが、何度も電話するのも気がひけたので、メールで問い合わせをした。

　すると翌日、驚きのメールが返ってきた。

「宮崎先生　いつもたいへんお世話になっております。たいへん申し訳ございませんが、宮崎先生の本と同時に出版する予定の本の原稿が遅れている関係で、宮崎先生の本の出版は来年の1月にずれ込むことになりました。ご了承くださいませ」

やむなく私は「どんな小さなことでも構わないので何か動きがあったら、お知らせください」とメールを返しておいた。

しかしその後も音沙汰はなく、やがて年が明けた。取引がある出版社からは年賀状が届くことがある。* 実際、昨年はその出版社からは女性編集長から1枚、女性担当編集者から1枚の計2枚の年賀状が届いていた。しかしその年は1月5日までその2人から年賀状が届かなかった。2人とも昨年は送ってきたのに今年は2人揃って送ってこなかった。何かやましいことでもあるからだろうか。そんなことを思っていると1月6日の夕方に女性担当編集者から次のようなメールが来た。

「宮崎先生　いつもたいへんお世話になっております。たいへん申し訳ございませんが、宮崎先生の本と同時に出版する予定の本の原稿が遅れている関係で、宮崎先生の本の出版はもう少し延期することになりました。出版時期が決まりましたら、また弊社よりご連絡させていただきます」

この時点で私はもう出版が頓挫していると確信するようになった。

年賀状が届くことがある　出版社からの年賀状には大別して2種類ある。1つはその出版社が推したい既刊書の宣伝が目的かのような年賀状、もう1つはごく一般の年賀の言葉が印刷された年賀状。G出版の2人からその前年に届いたのは前者のタイプだった。

1月20日、印税の支払い日である。印税はきちんと払ってくれると約束してくれた。入れてくれているとしたら28万５０００円のはずだ。しかし通帳記入をしてみると、入金されていたのは予定額の８割であった。仰天した私は大急ぎで自宅に戻り、戻るや否や女性担当編集者に電話を入れた。メールで問い合わせなんて悠長なことなど言ってられなかった。

「今日、通帳記入したのですが、８割しか振り込まれていませんでしたけど、どういうことなんですか」

「すみません。ご連絡するのをついうっかり忘れていたんですが、宮崎先生の本はまだ出版されていないので、仮払いということで8割をお支払いしているのです。残りは実際に出版されてからお支払いということになりますのでご了承ください」

「そんな話、聞いていませんでしたよ。『ご連絡するのをついうっかり忘れていた』とおっしゃっていますけど、今までにも何度も連絡取り合っていたじゃないですか。それなのになぜ一言も言ってくれなかったんですか。1月20日にきちんと印税を支払うって何度も約束してくれていたし、出版が遅れているのは私の責任ではないでしょう。きちんと払ってくださいよ」

「すみません、私では決めかねますので、編集長に代わりますので少々お待ちください」

しばらくした後、女性編集長が電話口に出てきた。

「お電話代わりました。宮崎さんにはなんも落ち度もないのにこんなことになって申し訳ないのですけど、まだ本が出版されていない場合は、仮払いということになりますので初版印税の８割のお支払いになります。残りは実際に本が出版されてからお支払いしますのでご理解ください」

「だって初版印税は約束した日に払いますって何度もおっしゃってたではないですか。約束したことをひっくり返されたら困ります。きちんと払ってください」

「これは出版業界の慣例*なので、ご理解いただきたいのですが……。私どもは出版業界の慣例に従ったほうが、むしろ誠実だと考えています」

約束を破っておきながら、屁理屈をこねて自らの行為を「むしろ誠実だと思う」とはなんという言い草か。もはや社会の常識など吹っ飛んでしまっている。

私は毅然と抗議することにした。こういう場合は泣き寝入りするのではなく、抗議すべきなのだ。

「そんな慣例など聞いたことはありませんよ。支払いを遅らせて、いったいなん

出版業界の慣例
私が新人のころにこう言われたら、そういうものなのかなと思ってあきらめていただろう。しかし、すでにデビューして以来10年以上、「出版社の事情で出版が遅れてしまった場合に初版印税の仮払いは8割」なんて一度も聞いたことがなかった。そんな慣例あるのか？あるかどうかは措いても「きちんと払う」と説明していたのに8割しか支払わないのだから私が抗議したのはむしろ自然だろう。

の得があるというのですか。私との信頼関係にヒビを入れるだけだってことがわからないんですか。きちんと約束どおり払ってくださいよ」

いずれ本が出版されたら残額を払ってもらえるのだからいいではないかと思う人もいるかもしれない。しかしこれは私一人だけの問題ではないのだ。私がここで変に我慢してしまうと、出版社に「翻訳家には待たせておけばいい」ということを〝学習〟させてしまうことになる。そうなればこの出版社は今後、ほかの翻訳家に対しても同じことをしかねない。こうして悪しき慣習が形成されると、一人の翻訳家の力では変えることができなくなる。だから私はつっぱねる必要があったのだ。

「そうですか……。私の一存では決めかねますので、社長と相談してみます。またご連絡差しあげます」

「いつごろご連絡いただけますか」

「今からすぐ社長と相談しますので、すぐに折り返します」

「ところで、出版時期はそろそろ決まりましたでしょうか」

「今、出版時期を調整しているところなんです。ほかの本と足並みを揃えて出したほうが売りやすいと考えていますので、もう少々お待ちいただけますか」

「待ってくださいというのなら待ちますけど、小さなことでもいいですから、何かあったらすぐにご連絡ください。いや、何もなくても少なくとも1カ月に1回は進捗状況を教えてください」

「ええ、それはもちろん、そうします」

「じゃ、お願いしますよ。それでは、先ほどの話、社長と相談してすぐにお電話くださいよ」

こうして会話は終わった。女性編集長は社長に相談して折り返すと言った。さあ、どう出る。私は数分もすれば電話がかかってくるものと思っていたが、その日はいつまで待ってもかかってこなかった。翌日も夕方までかかってこなかった。

もう1日待とうか迷ったが、夕方6時ごろに我慢の限界に達し、女性編集長に電話をかけた。「すぐに折り返す」と言っておきながら、いつまでも待たされるのにはそれ相当のエネルギーを消耗する。もう待たされてたまるか。

「もしもし、宮崎ですけど……」

「あっ、はいはい。すみません、ご連絡が遅れて。今ちょうど電話をしようと思っていたところだったんですよ。残金については明日にはお支払いいたします」

「じゃあ、明日、入金を確認させていただきます。それからこの前も言いましたけど、出版の進捗状況については少なくとも1カ月に1回は進捗状況を教えてください よ」

「ええ、それはもちろんです」

「それは約束してもらえるのですか」

「ええ、約束します。もちろんです」

翌日、残金が口座に振り込まれた。何はともあれ初版印税は回収した。ただ、10カ月もかけて仕上げたというのに、当初伝えられていた範囲の中の最低の部数、最低の定価で計算されたので28万5000円にしかならなかった。単純計算で1カ月2万8500円ではないか。

女性編集長は1カ月に1回以上は進捗状況を教えてくれると約束してくれたが、1カ月経ってもなんの連絡も来なかった。もはや完全に放置プレーである。このまま延々と放置されたままにされて1年も2年も経ってから「担当者が退社しましたのでわかりません」などととぼけられても困る。

2月中旬のある日、私がメールで進捗状況を尋ねると「どんなに遅くとも今年中には出します」という素っ気ないメールが返ってきた。何度も出版時期を延期した挙句にさらに遅らせてこんなことを書いてくるなんて呆れるばかりだが、初版印税が支払われている以上、事を荒げても仕方がない。反論をせずにもう1カ月だけ様子を見ることにした。もう1カ月様子を見てもノラリクラリの対応を繰り返すなら、その時点で次の手を考えよう。我慢だ我慢。

ところがさらに1カ月以上経ってもなんの連絡もなかった。完全放置プレー続行である。こんなことを続けられては、もう我慢ならない。そこで私は次の手に出ることにした。3月16日、私は次のようなメールを担当編集者に送った。

「先月、『どんなに遅くとも今年中には出します』というメールをいただきましたが、今度という今度は信じてもよろしいでしょうか。今年の末ごろになってからひっくり返るということはないでしょうか。貴社には貴社のご事情もいろいろとあることと存じますので、もし万が一、なんらかの事情で出版が頓挫しているようであれば、今後どうすることが双方にとって最善のことなのかを直接お会いして話し合ったほうがいいような気がしますがいかがでしょうか」

すると次のようなメールが女性担当編集者から返ってきた。

「宮崎先生、いつもお世話になっております。出版に関して、一度、宮崎先生のお宅をうかがってお話しさせていただきたく存じます。ただ、今月は時間を作ることができませんので、4月になってからでもよろしいでしょうか」

私は一刻でも早く現状を知りたいというのに、1カ月も先に予定を入れようとしているのである*。ただ、ここで反発してしまうと会うこと自体できなくなりかねない。やむをえず4月に会うことを了承し、お互い調整して日程を決めた。とりあえずこれで放置プレー続行は阻止することができそうだ。

某月某日　**道義に反する**：「出版不況で本が売れない時代なんです」

G出版のほうから4月13日に私の家まで来てくれるという。わざわざ女性編集長と女性担当編集者が2人して私の家まで来るのだから、もはや出版が頓挫していることは間違いなかろう。私が知りたいのはその理由だ。そしてどのような対応をしてくれるかだ。1カ月というのは待たされる私にとっては地獄のような長さであるが、相手にとっては都合のいい言い訳を考えるのに必要な時間なのであろう。待っている約1カ月間、私は四六時中この件を思い出しては怒りが爆発しそうになった。

1カ月も先に予定を入れようとしている
客観的に見れば、それほど待たせたわけではないと思う人もいるだろう。しかし私は過去にA書房に延々と2年も待たされた挙句に出版中止されたことがあったし、このときも「印刷機が壊れた」だの「同時出版される本の原稿が遅れた」だのと、きな臭い理由で出版を遅らされて「きな臭さ地獄」に堕とされ、その挙句に2月だというのに「どんなに遅くとも今年中には出します」などという「きな臭さメール」を送られたのだから、1カ月が途方もなく長く感じた。「龍宮城の1カ月」は瞬く間にすぎるだろうが、「きな臭さ地獄の1カ月」はその真逆で恐ろしく長く感じられるのである。

4月13日午後2時、女性編集長と女性担当編集者が私の家にやってきた。女性編集長は緊張した面持ちで、席に座るや否や開口一番にこう言った。

「例の翻訳書ですが……。じつは頓挫しています」

「なぜ頓挫しているんですか」

「宮崎さんの本の次に出す本がまだ決まっていないんですよ。それで宮崎さんの本を出してしまうのはちょっとまずいということになりまして……」

「意味がわかりません。なぜ私の本の次に出す本が決まっていなかったら、私の本が出せないいんですか」

「それは道義に反すると思うんですよ、やっぱり」

「何が道義に反するんですか。私の本とその次に出す本となんの関連もないじゃないですか。まったく意味がわかりませんよ。出すといって10カ月も仕事をさせておいて出さないほうが、よっぽど道義に反するんじゃないですか」

女性編集長は屁理屈で押し通そうとするのをやめた。

「本当のことをお話ししますとね、今は出版不況で本が売れない時代なんですね。お恥ずかしい話、ウチの本も全然売れていないんです。それで、やはり売れ筋の本に絞って出さないと経営が苦しいんですよ。今回、宮崎さんに翻訳してもらった本ですが、これはシリーズものになっておりまして、急遽、シリーズが打ち切りとなったのです。これ以上、このシリーズで出しても売れそうにないので……」

「だって、これは御社のほうから出版したいと言って翻訳を依頼してきた本じゃないですか。売れる売れないにかかわらず、人類にとって必要な本だから絶対に出すって言うから私は仕事を引き受けたんですよ。その点に関しては私も何度も確認取っていますよ。それなのに今さらになって、売れそうにないからという理由で出すのをやめたいって言うんですか。しかも、シリーズものだといっても、ただ本の型*が同じというだけのことで、私の本とほかのシリーズものの本とはなんの関係もないではないですか」

「出すのをやめたいとは言ってませんよ。出したいのは出したいのです」

「じゃ、出せばいいじゃないですか。もう出版の直前まで来ているわけですから。なんの障害があるというんですか。シリーズものの１冊として出すのではなく、別の型で出せばいいでしょう」

「ですから説明しているでしょ。経営状態が悪化しているから今は出せないって」

*本の型
単行本の場合は、B６判、菊判、四六判などサイズがいろいろ。さらにハードカバー（上製）、ソフトカバー（並製）など、本の内容によってふさわしい本の型が決められる。

「今は出せないって、じゃあ、いつまで待てばいいんですか」

「そうですね。経営状態が回復するまで……としか言えないですね」

「具体的にはいつぐらいになりそうなんですか。来年ぐらいですか」

「いや、それは約束しかねます。そんなにすぐに経営状態が回復できるかどうかはわかりませんから」

「じゃ、3年とか5年ですか」

「いや、それも約束しかねます」

「じゃ、10年ですか」

「いや、それも約束しかねます」

「10年待っても出せるかどうか約束できないってことは、出すのをやめたいってことではないんですか」

「いや、だから言っているでしょう。出すのをやめたいわけではないって。出したいのは出したいのです。でも、経営状態が悪化しているので、今は出せないんです」

「でもほかの本は出すんでしょ」

「ほかの本でも売れそうにない本は著者や訳者の方にご理解いただいて出版をあ

きらめてもらっています」

「ということは出す本もあるんでしょ」

「でも、それは本当に売れると判断された本だけです」

「でも売れるか売れないかは出してみなければわからないじゃないですか。しかも、もしそれが本当だとしたら、あまりに身勝手じゃないですか。私、この本を翻訳するのに10カ月もかかったんですよ。どうしてくれるんですか、その10カ月を」

「本当にすみません。出せなくなってしまって」

「出せなくなったのではなく、出したくなくなったんでしょ。言葉の使い方に気をつけてくださいよ。まるで自分たちには責任がなくて、自分たち以外の何かに原因があるかのような言い方しないでください」

「だから何度も言っているように、出したいんですよ。出したいんです。でも、今は出せないんです」

「出せない理由*がないじゃないですか。出そうと思えば出せる。なのに出さない。それは出したくなくなったと同じことじゃないですか。売れそうにないから出したくなくなった。ただそれだけのことじゃないですか」

出せない理由
私が「経営状態が悪いから」というのは「出せない理由」ではなく「出したくない理由」だと主張すると、女性編集長は「じゃあ、出せない理由とはどんなものを言うのですか」と訊いてきた。私が言う「出せない理由」とは、たとえば著作権法に触れる作品であることが判明したとか、出版社が倒産したとか、自然災害で流通が麻痺して回復の見込みが立たないとか、日本語で書かれた書籍を発刊することが日本の法律で違法と定められたとか…そういう理由だ。そういう理由なら私も鬼ではないのだから出せとは言いませんよ。

「だから出したくなくなったわけではないと言っているじゃないですか」

「じゃあ、出せばいいじゃないですか。出せない理由がないんですから」

私たちは延々と論争を繰り返した。「すべての哲学の論争は言葉の使い方の差異による論争である」と言った哲学者がいた。私たちは「出せなくなった」と「出したくなくなった」の違いで口論になっている。単に言葉の使い方の論争なのだ。ただ、こんな論争を延々と繰り返しても何も生まれてくることはない。私は言葉の論争をするのをやめた。

「『今は出せない』と言うのなら、出せる日が来るまでいつまででも待ってもいいですよ」

出版をあきらめさせようとしか考えていない編集長にとって、私にこう言われることほど困るものはないのだろう。

「10年以上でもですか」

それを聞いても私は冷静さを失わなかった。10年以上待つといっても、ただ待つのではなく、なんらかの条件をつけて待つのであれば、待てないこともないか*らである。

「10年以上待ってほしいというのであれば、それも検討しますよ」

条件をつけて待つのであれば、待てないこともない
仮にG出版がほかに出版してくれる出版社を見つけると言い出した場合に気をつけなければならないことがあった。それはその言葉を鵜呑みにして待っているとずるずると何年も待たされかねないことだった。そこでふと思いついたのは、お互いが合意した額の担保金を私が預かり、ほかの出版社から出版されることが確実になった時点でその担保金を返すことだった。これならG出版も真剣になって探すはずだ。このときは女性編集長に提案しなかったが、G出版の対応によってはこの話をぶつけてみようと思いついた。

「宮崎さんが本当にそれでもいいというのなら、待ってもらいたいんですが、正直、10年以上待ってもらっても、確実に出せるという約束なんかできないんですよ。だから宮崎さんがほかの出版社から出したいのなら出してもいいです。そのほうが宮崎さんにとっても良い結果になるのではないでしょうか」

「私は、何もほかの出版社から出したいとは言っていないんですよ」

「でも宮崎さんにとってはそのほうがいいんじゃないですか。だって、ウチから出すとなると、いつのことになるかわからないんですから」

「でも、この本を出したいという出版社はそんなに簡単に見つからないと思うんですよね」

「宮崎さんはたくさんの出版社を知ってらっしゃるから、探せば見つかるんじゃないですか」

「そんなに簡単に言わないでくださいよ。*勝手に出版を中止にしておきながら、私にほかの出版社を見つけさせようとしているんですか。自分たちは見つけようとしないんですか」

「お恥ずかしい話なんですが、私どもは横のつながりは一切ないんですよ。だから見つけてあげようにも見つけてあげられないんです」

そんなに簡単に言わないでくださいよ
それぞれの出版社にはそれぞれのカラーがあり、いくら内容がいい本であっても異なるジャンルの本を持ち込んだら門前払いされる。仮に受け入れてもらえる場合でも、出版社には出版スケジュールがあるから長い間待たされることもある。また売り込んでも、その検討結果を教えてもらうまで1カ月程度待たされるのが普通だ。出版社によっては検討結果すら教えてくれず、放置したままにされることすらある。そんな売り込みの大変さを知っていたからこそ、この言葉が出た。

「見つけてあげられないんじゃなくて、見つけたくないだけなんでしょう。さっきも言いましたけど、言葉の使い方に気をつけてくださいよ」

「そんなことはないです。見つけてあげられるのなら見つけてあげたいんです。でも、横のつながりがないから見つけてあげられないんです」

「そんなの、見つけようとしていないじゃないですか。見つけようと思えば、積極的に自らほうぼうの出版社に電話でもかけてみればいいじゃないですか。電話を何本かけたっていうんですか。今までいったい何をしたっていうんですか」

「そんなことをするより、宮崎さんがお知り合いの出版社に声をかけられたほうが早く見つかると思うんですよね」

「勝手に出版を中止しておいて、よくそんなに気軽に言えますね。原稿をコピーして出版社まで出向いて行くにはそれなりに時間も労力もお金もかかりますよ。その代金、払ってくれるとでもいうんですか」

私がこう答えると、編集長はまるで人が変わったかのようにヒステリックな金切り声を発した。

「わからない人ですね、宮崎さんは。どれだけ頭が固いんですか。自分のことしか考えられないんですか。こっちはこの本が出てもいないのに、誠実に初版印税を支払ってあげたんですよ。それがわからないんですか」

私は唖然となって一瞬、声が出なくなった。勝手に出版を中止にしておきながら「初版印税を支払ってあげた」とはなんだ。私になんの落ち度もないことはＧ出版も認めている。だから初版印税を支払うのは当たり前のことだ。これがもし「ゴースト翻訳」を頼まれていたのであれば、そしてその対価としてそれ相当の翻訳料を払ってもらっていたのであれば、出版が中止になっても私も何も言うつもりもない。しかし翻訳書を出すという約束で引き受けた仕事なのだから勝手に出版を中止にされたらそれはそれで責任を取ってもらわなければ困る。初版印税さえ払ったら出版を勝手に中止してもよいという契約にはなっていないのだ。もしも初版印税が２００万円とか３００万円という「ゴースト翻訳」にも相当するような高額なものなら出版を中止されてもそれ以上求めることはないが、出版の雲行きが悪くなってから急遽発行部数や定価を予定の範囲の最低の数字で計算した形で払われた初版印税だけで終わらされてたまるか！

「宮崎さん、本が出てもいないのに初版印税を払ってくれる出版社なんて、どこを探したってないですよ。わかっているんですか。宮崎さんが、ほかに出版してくれる出版社を自分で探せば早いでしょう？　とにかく、探してみてくださいって。もう知らない。私としてはそれしか言えません。ご理解ください。それでは私たち今日はこの辺で失礼します」

私は彼女らが席を立とうとするのを慌てて止めた。

「ちょっと待ってくださいよ。まだ話は終わっていませんよ」

「すみません。私たち次の仕事があるので、今日はこれで打ち切らせてもらいます。宮崎さんにほかの出版社を探してもらうしかないです」

「待ってください。そんなに勝手に話し合いを打ち切るのって、話し合いでもなんでもないじゃないですか。一回、会社に戻って、社長と話してみてください。御社のほうでほかの出版社を見つけるというのなら、私も待ちますから。とりあえず、それで返事をください」

「だから、私たちには横のつながりは一切ないって言っているでしょう。宮崎さんがこんなわからず屋だとは思っていなかった」

もうこの人たちとは冷静な話し合いはできない。ふつうの人のふつうの会話ではなくなってきているのだ。売り言葉に買い言葉ではないが、ここまで言われては私も伝家の宝刀を持ち出す以外にない。伝家の宝刀、そう、裁判をにおわせるのだ。私は過去に一度これで成功したことがある。* 裁判をにおわせると相手は震

一度これで成功したことがある
前述したCセラーズの男性編集者との一件。

え上がり、約束をきちんと守ってくれる。いわばドラキュラに十字架を見せるくらいの威力があるのだ。ただしこの言葉を発してしまえば二度と後戻りはできない。私は覚悟を決めて言った。

「そういうふうに身勝手な話ばかりされるのなら、出るところに出て話すしかないですね」

「出るところに出る？」

「そうです、裁判所です。調停という制度をご存じでしょう？」

「ええ」

「調停で話し合いをする、ということですよ」

「裁判所」という言葉を聞いて女性編集長の態度が急変した。もはや十字架を翳(かざ)されたドラキュラだ。裁判沙汰になるのはまずいのだろう。女性編集長はしばらく沈黙していたが、やがて平静を装ってこう返してきた。

「いいですよ」

「いいんですね」

「ええ」

「まあまあ、私としても裁判所のお世話になりたいわけではないんですから、まずは社長と相談してみてください。御社が、ほかに出版してくれる出版社を見つけてくれれば、それですんなり解決する問題ですから」

「一応、社長には相談してみますけど……。何度も言うように私たちには横のつながりなんてありませんし、見つけてあげられそうにないですが……」

「社長と相談していただいてから、また話し合いの機会を持つということでいいですね」

「ええ」

「もしも次の話し合いで、また今日と同じように話が平行線を辿るようなら、もう私と御社の二者間では話し合いは不可能ということで、調停で話し合いをするということにしませんか」

「ええ、わかりました」

こうして約1時間の会合が終わった。

彼女らが部屋を出た瞬間、怒りが爆発しそうになった。どうしても許せないことがあった。それは、出版が頓挫している理由として「次に出す本が決まっていないから」と訳のわからないことを言って誤魔化そうとしたことだ。本当はシリーズものの売行きが芳しくないからシリーズを中止にしたいだけのことなのに、なぜそんな見え透いた嘘をついたのか。
　その夜、私は怒りのあまり一睡もできなかった。眠ろう眠ろうとしても激しい怒りが込み上げてきてベッドの中で悶々としていた。やがて3時になり4時になり5時になり6時になった。気がついてみると窓の外がぼんやりと薄明るくなり始めていた。

某月某日 **調停申し立て**：「宮崎さんもわからない人ですね」

　その翌日以降も女性編集長の不誠実な言葉が心に突き刺さったままだった。四六時中その言葉に対する怒りが込み上げてきた。あんな不誠実な対応をするG出版とはもうとことん戦うしかない。今の私にとってはそれが「仕事」だ。これはお金儲けにこそならないが、ほかの翻訳家も被害を受けかねない悪しき慣習を壊すという世直し的な「仕事」なのだ。
　女性編集長は社長と相談した結果を「すぐに知らせる」と言ってはいたが、それまでの対応から推測するに、ずるずると返事を遅らせて何もしないまま放置する気でいるのだろう。

案の定、いつまで経ってもなんの連絡もないままだった。おそらく日常業務に埋もれて私のことなど微塵も思っていないに違いない。「何日以内に」とか「何月何日までに」というふうに具体的な期日を決めておけばよかったと後悔した。そういう具体的な期日があれば、それを過ぎればこちらから回答を催促できるが、具体的な期日を決めてない以上、宙ぶらりんな状態にされたままで待つしかないのだ。

そんな「宙ぶらりん地獄*」に陥れられてしばらく経ったある日、堪忍袋の緒が切れた私はついに電話をかけた。

「宮崎です。例の翻訳書の件、どうなりましたでしょうか」

「あっ、すみません、お電話いただいて……。じつは今、お電話しようと思っていたところなんです」

「で、どうなったんでしょうか」

「この件はですね、やはりじっくりとお話ししたほうがいいと思いますので、また日を改めまして、宮崎さんのお宅にお邪魔して、じっくりお話しさせていただこうと思っているのですが、よろしいでしょうか」

宙ぶらりん地獄
私が問い合わせをすれば何か反応するが、私が問い合わせをしない限り、放置プレーを続け、自分たちから進んで連絡を取ってくることはまったくない。それがこの地獄の特徴である。

「ええ、で、いつをご希望ですか」

「その件に関してですが、私はもう担当を降りることになりましたので、今後この件に関しては、大西と宮本というものが担当になります。それでよろしいでしょうか」

「わかりました」

「では、２人の空いている日も確認しなければなりませんので、また日程に関してはご連絡差しあげます」

「わかりました。いつご連絡くださるのですか」

「２人のスケジュールの確認が取れ次第、ご連絡差しあげます」

「何日まで、という期限を決めてもらえませんか。期限を決めておかなければ、私もいつまで待ったらいいのかわかりませんので」

「ええっと、では、明後日までにはご連絡差しあげます」

「はい、じゃあ、明後日までにご連絡ください」

こうして電話を切った。

その翌々日の午後に女性編集長から電話があり、大西氏と宮本氏が５月６日に来ると伝えられた。会合の日が決まったので一安心だ。

5月6日、大西氏と宮本氏の2人が私の家までやってきた。両者ともガッシリとした体格で40代に見える。まさに苦情処理係といった感じの風貌である。この2人は、女性編集長では手に負えなくなった私を処理するために任命されたのであろう。2人が席について自己紹介をし、名刺交換を終えると、宮本氏が開口一番でこう言い出した。

「私どもは、今後、××（具体的な著者名）の本に力を入れていきたいと考えておりましてですね、それで宮崎先生の本は出せなくなったんですよ。宮崎先生にはその点をご了解いただきたいと思いますが……」

「でも、もう私の本は三校ゲラのチェックが終わってまさに出版直前の状態まで来ているじゃないですか。作業としてはもう何もなくなっているのですから、××の本に力を入れたいからという理由では、私の本が出せないという理由にはならないと思うのですけど……」

「いや、そういう意味ではなくてですね、本というのは宣伝にもお金がかかるわけなんですよ。ですから私どもは、今後、××の本の宣伝にお金をかけたいと考えているわけで、宮崎先生の本に宣伝費はかけられないのですよ」

「私は宣伝費をかけてくださいとお願いした覚えはありません」

するとそれまで黙っていた大西氏がいきなり怒りをあらわにした。

「宮崎さんもわからない人ですね。何度も言っているように、宮崎さんの本は出せなくなったんですよ」

「この前、編集長にも指摘させていただいたんですが、それは『出せなくなった』のではなく、『出したくなくなった』んじゃないですか」

「まあ、そう言われればそうかもしれませんね。ぶっちゃけ、出したくなくなっちゃったってところですかね。なにしろ売れそうにない本なんで……」

「この本は御社のほうから『出したいから』と言って仕事を頼んできたんですよ。それなのにそういう言い方ってありますか。10カ月もフルタイムで仕事をさせておきながら」

「そんなケンカを売るような言い方やめてくださいよ。こっちは誠実に初版印税まで払ってあげているっていうのに。初版印税、返してもらったっていいんですよ」

「初版印税だってこっちは大いに不満なんですよ。当初の予定*だと30万から70万の範囲だったのですよ。それが最低の定価と最低の部数で計算するから28万になったんじゃないですか。実際に出版されて結果的に28万なら文句はありません。

当初の予定
定価1000円～1400円、初版5000部～8000部、印税6%と言われていた。つまりふつうに計算すれば予定されていた初版印税は31万5000円～70万5600円ということになる。

だけど出版を勝手に中止しておいて、勝手に最低の定価と最低の部数で計算するのってどうなんですか。私の過去の経験では、初版印税はだいたい70万円から100万円ですよ。買取契約の場合だったら100万から150万ですよ。それが今回28万ですよ。本当は発行部数も定価も出版中止を決定した後になってから、私に支払う額を少しでも少なくしようとしてこんなことをしたんじゃないですか」

「あの、よく聞いてください。宮崎さんの本は出ていないんです。それはわかりますよね。こちらは宮崎さんの本から1円も利益をあげていないんです。それなのにこっちは誠意を見せてるんです。28万でもありがたく思うのがふつうでしょう。なぜそれがわからないんですか。それにウチがこの本を出さなくなったといっても、宮崎さん、この本、別の出版社から出せばいいじゃないですか。こっちはそれを認めてあげてもいいって言ってるんですよ」

「別の出版社から出せばいいって簡単に言ってますけど、そんなに簡単に出版してくれる出版社なんか見つかりませんよ。それに見つけようと思ったら、ほかの出版社に交渉しに行くのに時間もかかるし、交通費もかかるし、コピー代もかかるし、いろいろと経費がかかりますけど、それは出してもらえるんですか」

「……」

　大西氏はしばらく黙ってしまった。迂闊に「経費を出す」と言ってしまったら、あとで取り消すことができなくなると思っているのだろう。私は再度、伝家の宝刀を振りかざした。

「先月、編集長が来られたときも言いましたけれど、もう、こういう感じの話し合いだと、いつまで経っても平行線を辿るだけなので、裁判所で調停という形でお話ししませんか」

　すると大西氏は平静を装ってこう応えた。

「いいですよ、そっちがそう言うなら。こっちだってすでに弁護士に相談にのってもらっているんで」

　こういえば私が怯むとでも思っていたのかもしれないが、すでに私は本人訴訟をする覚悟はできていた。

「いいんですね。じゃ、調停、入れておきますね。必ず来てくださるんですよね」

「ええ、いいですよ」

　大西氏は虚勢を張っているかのように見えた。

「じゃ、入れておきますね。まあ、もし第1回調停期日までにうまく折り合いがつけば調停はすぐに取り下げることもできますから。これはあくまで両者間だけでは折り合いがつかないときに調停に出向いて話し合うということで」

「まあ、その前に、とりあえず、いったんは宮崎さんの希望を聞いて、社長に相談はしてみてあげてもいいですよ。どういう希望なんですか」

「第一希望としては約束どおり御社から出してもらうこと」

「それは無理ですね」

「無理だなんて、そんなに簡単に言わないでくださいよ。未来永劫にわたたって可能性がゼロというわけではないでしょう」

「いや、未来永劫にわたってその可能性はゼロです」

私は怒りを抑えて第二希望、第三希望を言った。

「第二希望としては御社が別に出版してくれる出版社を探すこと。ただしその場合、ずるずると何年もかかりかねませんので、お互いが合意した額の担保金を預けさせていただきたいと思います。担保金は別の出版社からの出版が確実なものとなった段階でお返しします。第三希望としては私が別に出版してくれる出版社を探すこと。ただし、その場合、交通費やコピー代などの経費は御社で負担してくれることです」

「まあ、一応社長に伝えてみますよ」

「ご連絡はいただけるんですか」

「すぐに連絡しますよ」

こうして私たちは1時間程度の会合を終えた。彼らが部屋を出たとたんに頭がズキンズキンとうずき始めた。私は頭痛薬を通常の服用量の2倍飲んでベッドにもぐりこんだ。

私は第一希望から第三希望までの3つの案を提案した。その3つの案を大西氏は社長に相談し、その結果を「すぐに連絡する」と言った。

ところが、案の定、大西氏からは何日経っても連絡も来なかった。やはり真面目に話し合う気などないのだろう。放置プレーを続行し、私に自力でほかに出版してくれる出版社を探させようとしているに違いない。だがそういう不誠実な態度には毅然として戦わなければならない。なぜならここで私が泣き寝入りをしてしまったら、彼らは「こういう場合は放っておけばいい」ということを〝学習〟してしまうからである。

堪忍袋の緒が切れた私は裁判所に調停を申し立てに行った。*

調停を申し立てに行った　裁判所は私の家から自転車で30分もあれば行ける。書類に不備があってもすぐに自転車を飛ばして行ける。二度手間であろうが三度手間であろうが何度でも往復してやるという気持ちだった。

調停の申し込みを行なうと気分が清々しくなった。* これで「あなた方の身勝手は許さないぞ」という意思表示ができるのだ。調停を申し立てたことを知った出版社側が仮に何か解決案を提案してきたとしても、納得のいく内容でないかぎりは裁判所まで引きずり出してやる。

某月某日　欠席：「調停、取り下げてもらえませんかね」

調停を申し立ててから数日後、大西氏から電話がかかってきた。

「宮崎さん、調停を申し立てたんですか。調停、必要ないですよ。社長と相談して、ウチの責任でほかに出版してくれる出版社を探すってことになりましたから。*

調停、取り下げてもらえませんかね」

「いや、それはできません。今まで何度も話がひっくり返っているじゃないですか。それに御社の責任でほかに出版してくれる出版社を探すって本当ですか。編集長は『ウチには横のつながりがないから探してあげようにも探してあげられない』って何度もおっしゃっていましたけど……」

申し込みを行なうと気分が清々しくなった
調停の申し込み自体は簡単だ。素人でもできる。書き方がわからなければ相談員もいる。まともに話ができない相手には調停に限る。

出版社を探すってことになりました
とはいうものの、私が提案していた担保金については一切言及しなかったし、私のほうからもあえて聞かなかった。

「大丈夫です」

「それ、本当なんですか。無理をしなくても、御社で見つけるのが難しいようなら私が探してもいいんですよ」

　すると大西氏は激怒して言った。

「それ、金を出せってことでしょう！　宮崎さんがそんなこと言いだすから、ウチで探すってことになったんですよ！」

　この対応の仕方を聞いて私は調停を取り下げない決心が固まった。私がほかの出版社を探すとなると交通費やコピー代などさまざまな経費がかかるが、それは当然支払ってもらわなければ困る。それを請求したのがそれほど癪に障ることなのか。そんなたいした額でもないのにそれほどもったいないことなのか。

「でも、実際のところ、見つかるんですか」

「見つかりますよ。社長に横のつながりがありますから」

「とにかく何か進展があったら連絡してください。連絡お待ちしておりますよ」

　ところがその後もいくら待ってもなんの音沙汰もなかった。１日１日と第１回調停期日が近づいてきていた。私は法律の専門家ではない。ずぶの素人だ。その素人の私が調停を申し立てるのは目を閉じたまま街を歩くくらい恐いことである。

私はその間にも何度か法律の書籍に目を通したり、法律相談所に通ったりして知識を身につけていたが、それでも調停は恐いものだ。

大西氏からはその後なんの連絡もないまま第1回調停期日の日がやってきた。受付を済ませると*、自分の番が来るまで待合室で待つことになる。待合室に入ってみると、案の定、私が一番乗りであった。ハラハラドキドキは止まらない。出版社側からは誰が来るのだろう。もしも来たら何を言い出すのだろう。私は自分で調停を申し立てておきながら、大西氏が今日来ないことを祈り始めていた。

午前10時になり、私は調停委員に呼び出された。調停室に入ると、G出版からは誰も来ていなかった。調停委員は男性1名、女性1名の2名で構成されている。私は指示された席に座った。男性の調停委員がこう言った。

「相手方はまだ来てないみたいですね。もう少し待ってみましょう。せっかくですから、待っている間にトラブルの内容を詳しくお聞かせ願えませんか」

私が調停委員にトラブルの内容を説明した後、男性の調停委員が相手方が来ているかどうか確かめてくるといって部屋を出ていった。しばらくすると戻ってきて言った。

「どうやら今回は欠席のようですね。でも、きっと2回目は出てくるでしょう」

受付を済ませる
調停は午前10時からとなっていたが、裁判所の受付で大西氏とバッタリ出くわしたくなかったため、午前9時に裁判所に一番乗りした。

こうして第1回目の調停は終わった。私はすでにこの時点で出版社側は調停を欠席*し続けて調停を不調にするのではないかと思い始めていた。

第1回目の調停から数日後、G出版に第2回目の調停の呼び出し状が届いたのだろう。大西氏からメールが届いた。

「宮崎先生　出版してくれるほかの出版社を見つけました。したがいまして今後は調停は不要と考えます。つきましては、一度、その件に関して話し合いの場を持ちたいと思います。ご都合のよい日に話し合いをしたいと思いますので、今月中で都合のいい日を2、3、挙げていただければと存じます」

しかし、これでは本当にほかの出版社が見つかったのかどうかはわからない。第一、出版社名も出していなければ、印税などの条件も出していない。これだけで信じろというのが無理というものだ。調停を取り下げさせたいからこう言っているだけなのかもしれない。

私は調停委員に「相手から話し合いを求められても、話し合いなら調停の場でできるのでと言って調停に出頭するように促してください」と忠告されていたこともあり、その旨書いてメールで返信した。

するとと次のようなメールが送られてきた。

調停を欠席
調停は1カ月から1カ月半に1度の頻度で開催される。1回欠席されると、次は1カ月から1カ月半後になってしまう。その間、相手方からなんの連絡もなければまさに放置されたままになってしまう。

「宮崎先生　出版してくれるほかの出版社が見つかったというのは本当です。これればかりは信じてもらうしかありません。だからこそ話し合いを求めているのです。調停の場で話し合うことは、不必要な時間と労力が奪われるだけですので、お互いのためによくないことだと考えます。一度、お電話をください」

どうしても調停以外の場で話がしたいようだ。調停だと都合が悪いのであろう。しかし私はこのメールには反応しなかった。

その後、G出版からはなんの連絡も来なくなった。

第2回目の調停期日が到来した。*

待合室で待っているときは心臓が爆発しそうになるほど緊張する。呼び出されて調停室に入ってみると、案の定、相手方は来ていなかった。今回も欠席なのだろう。調停委員は私に同情してくれているような感じもした。なにしろ相手は2度連続欠席なのだ。2回連続で欠席するような人たちに良い印象を持つはずはない。私たちは第3回目の調停期日を決め、その日は終了した。

その夜、私はさっそく、本人訴訟の準備を始めることにした。裁判沙汰はそれまでに三度経験したことがあったが三度とも弁護士をつけていた。三度とも実質

調停期日が到来した
第1回同様、調停は10時からだったが、私は9時に裁判所に入った。G出版からは誰も出頭しないだろうとは思ってはいたが、万が一、出頭してきてバッタリ顔を合わせるのが嫌だったからである。

的には私の完全勝利に終わったものの、弁護士費用のほうが高くついて「持ち出し」となったこともあった。しかも三度とも弁護士に「この程度で和解しておいたらどうですか」と半ば強制的に和解にさせられていた。そういう経験を経てきた私は次にトラブルに遭遇したら本人訴訟にしようと決意していた。

私は訴状の下書きに取りかかった。第3回調停までまだ1カ月ある。2回目も欠席したのだから3回目もおそらく出てこないだろう。となると、その間にじっくりと推敲ができる。私は過去の裁判で弁護士に書いてもらった訴状を参考にし、法律関係の参考書を読破し、訴状を書き上げた。これで準備は万端だ。本人訴訟だから費用はたいしてかからない[*]。もしも3回目の調停も欠席して調停を潰してくれたら本人訴訟に踏み切ってやる。

第3回目の調停期日が到来した。私は早めに家を出、9時ちょうどに裁判所に入った。

私は相手方が出席するか否かがわからないまま待合室で待った。時間が経つのが異常に遅く感じられる。待合室には10名弱の人が座っている。みな、それぞれ大きな悩みを抱えているのであろう。苦しいのは私だけではないのだ。いや、私

費用はたいしてかからない
かかるのは印紙代と切手代くらい。しかも私は裁判所まで自転車で行けるので交通費すらかからないのだ。

の苦しみはここに座っているほかの人たちから比べれば軽いほうなのかもしれない。そんなことを思いながら、早く10時になれ、もうどっちでもいいから早く10時になれ……と願っていた。

10時になり、呼び出しがかかり、調停室に入った。案の定、相手方は来ていなかった。私はホッとしたが、男性の調停委員は怒ったような口調で言った。

「本当にひどい人たちだね。どうやら今回も欠席するみたいだ。考えられないよ、こんなこと」

「今日、相手方が休んだら、調停は不調ということになるんでしょうか」

「だって無断欠席でしょう。こんなの相手方に話し合う意思がないことは明らかでしょう」

女性の調停委員が言った。

「もうこれ以上、調停で話し合おうとするのはやめて、ここから先は裁判されたらいかがですか」

男性の調停委員も同意した。

「それが一番いいよ。相手方がこういう人たちじゃあ、あなた一人で話し合いをしても、自分の都合のいいようにしか話をしないでしょう。裁判所でも和解の話し合いはできるわけだから、裁判を起こしたほうがいいよ」

彼はこう言うと調停室を出ていき、裁判官と書記官*を呼んできた。

裁判官は私にこう言った。

「相手方が3回連続で欠席しているわけですから、相手に話し合いをする意思がないことは明らかですよ。裁判を起こされたほうがいいと思いますよ」

こうして相手方の出席がないまま、調停は不調となった。

帰りの電車の中で止めどもない怒りが湧いてきていた。そもそも調停は話し合いがもつれた当事者同士が双方にとって最善の解決策は何かを探るために存在している制度である。相手が出席すると同意したからこそ私は調停を申し立てたのだ。編集長も大西氏も出席することに同意していたはずだ。それを強引に不調にしたのはどういうことか。

調停を不調にしたとしても素人の宮崎が裁判を起こすには時間も労力もお金もかかる。まさか一人では裁判を起こさないだろうし、仮に弁護士をつけて裁判を起こしたとしても、弁護士同士のやりとりで話しやすくなる。G出版側はそう考えたのだろう。

よし、そっちがそう来るのなら、本人訴訟してやろうではないか。

裁判官と書記官
裁判官は男性で50代、書記官は女性で20代に見えた。

某月某日

押しかけ：「本、出せなくなるんですよ。いいんですか」

調停が不調になったその日、私はすでにパソコンにデータ保存していた訴状をプリントアウトし、翌朝一番で裁判所に訴訟を出しに行く準備を整えた。調停を意図的に潰したらどうなるか知らしめてやる。

翌朝、私は9時ちょうどに一番乗りで裁判所に入った。受付で訴状を確認してもらい、数カ所の訂正を指摘され、その場で修正、受理してもらった。これで数日後にはG出版の社長に訴状が届くはずだ。調停を意図的に潰すということが翻訳家にどれほど大きな衝撃を与えるか思い知るがいい。

数日後、裁判所からファックスが来て、第1回口頭弁論期日が決定された。* 訴状提出日から約1カ月半後だった。

私はゆったりした気分になった。G出版にはそれまで何度も放置プレーをされたが、さすがに訴訟を起こされたら放置プレーはできまい。逃げ道はないのだ。

私は第1回口頭弁論の日を半ば楽しみに待っていた。もちろん恐怖心もあった。

口頭弁論期日が決定された
第1回目は私の一存で私の希望日が採用される。私は選択肢として挙げられた日の中でもっとも早い日を選択し、その用紙を裁判所にファックスし返した。

100％勝てると確信しているものの、百戦錬磨の弁護士相手に自分ひとりで戦って本当に勝てるのかという不安は拭えるものではない。

訴状を提出してから10日後、外出先から帰宅してみると郵便受けに1通の手紙が来ていた。開けてみると見知らぬ法律事務所の弁護士からだった。おそらくG出版の顧問弁護士なのだろう。手紙には「一度お目にかかって今までの不誠実な対応を謝罪した上で今後のことをご相談させてほしい」という主旨のことが書かれてあった。

相手はトラブル解決の点では百戦錬磨の弁護士である。口八丁手八丁で都合のいいように言い負かされるのはご免だ。その点、裁判官が仲立ちをしてくれればG出版社が一方的に有利な結果にはならないはずである。ここはまんまと相手の術中にはまるのではなく、本人訴訟をするのが正解ではないか。私は1週間ほど熟慮し、次のような手紙を書いた。

「話し合いに応じるか否かを決める上での参考のため、ご質問したいことがございます。

私は貴社が第3回目の調停を無断で欠席した時点で、貴社には私に対して話し合いを求める資格がなくなったように感じておりますが、その点どのようにお考えですか。

（A）私に対して話し合いを求める資格があると思っておられる場合
貴社がなぜそのように思っておらえるのか、私が理解できるようにご説明ください。

（B）私に対して話し合いを求める資格がすでになくなっていると思っておられる場合
貴社が私に対して話し合いを求める資格がすでになくなっていると自認した上で、なおかつ私との話し合いを希望するのであれば、具体的にどのような形で謝意を表したいのかをお教えください」

この手紙を投函してから2日後には相手から速達が届いた。内容は、翻訳書はA社*が出版するということで話が付いているので、その条件等*について相談したいというものであった。

第1回口頭弁論期日も迫ってきているので相手も相当焦っているようだ。しかしA社と話が付いていると言っても、それが本当だという証拠などないし、仮に話が付いているにしてもまた出版間際になってA社の気が変わるかもしれない。

A社
「刑事コロンボ」の訳書を出している出版社。このとき初めて具体的な出版社名がわかった。

その条件等
G出版が「謝罪したい」と言ってきたからこそ、

そのときはどう責任を取ってくれるというのか。これでは話し合いに応じても相手にうまく言いくるめられるのがオチだ。そう思った私はすぐに返事を書いてファックスで送った。

「もう一度お伝えしますが、私の質問は（A）私に対して話し合いを求める資格があると思っておられるか、（B）すでになくなっていると思っておられるかです。もしも（B）なのであれば、調停を不成立に至らしめたことに関して、たとえば、『無駄にさせてしまった印紙代、電車代等の経費は弁償したい』とか『謝罪文を書きたい』など具体的にどのような形で謝意を表したいと思っているのかをお聞かせください。これらの例はあくまで貴社の理解を促進するために例示したにすぎません。私との話し合いを希望されるのであれば、私の質問にお答えください」

さあ、どう出る。謝罪したいと言い出したのはそっちのほうだ。だからこっちは具体的にどのような形で謝意を表したいのか聞いたのだ。きちんと答えてもらおうではないか。

私がファックスを送った翌日の夕方、自宅でベッドに横たわっているとイン

私は「どういう形で謝意を表したいのか」訊いたのである。しかしG出版は私の質問には答えず、自らが希望する和解案を提示してきた。その案とは「A社で出版するが、初版印税はG出版が受け取り、宮崎は重版印税から受け取る」だった。A社の発行部数も価格も伏せたままこの案を出してきたので話し合いに応じる気になれなかった。

ターホンが鳴った。

「宮崎さんですか。私、G出版の岡本と申します」

「どういう用件でしょうか」

「じつは、うちの訴訟代理人弁護士から手紙を預かっていて、それを渡しに来たのです」

私はドアを開けずにドアホン越しにこう言った。

「そうですか。じゃあ、このドアの郵便受けの中から入れてください。それで受け取れますから」

ドアホンのモニターには岡本氏のほかにもう一人映っていた。彼らは2人で来ているのだ。*

岡本氏はドアの郵便受けから訴訟代理人弁護士が書いた手紙を投げ入れた。その場で手紙を取り出して読んでみると、「当方が提示した和解案に応じないのなら今後は裁判所の判断に委ねたい。それでもいいか意見を聞かせてほしい」という主旨のことが書かれてあった。

「宮崎さん、お読みになりましたか」

「ええ」

彼らは2人で来ているのだ
G出版は女性編集長と女性担当編集者の2人では手に負えないと判断したのか、途中から大西氏と宮本氏に担当を代えていた。さらに彼らでも手に負えないと判断したのか、再び担当者を代え、新たにこの2人（岡本氏と平本氏）を派遣した。

「ウチの意向はそういうことなんですよ」

「わかりました。では今日のところはこれでお帰りください」

私は相手が3回連続で調停を欠席した段階ですでに和解案を話し合う気など失っていた。だからこそ訴訟を起こしているのだ。だから相手から「今後は裁判所の判断に委ねたい」と言われても、私も「わかりました」としか言いようがない。それでいいのだから。

すると岡本氏は大慌てでこう言った。

「いやいやいやいや、待ってくださいよ。宮崎さん、本当にそれでいいんですか。こちらが提示した和解案を蹴ってしまったら、もう和解なんてできないんですよ。つまり、宮崎さんの本、出せなくなるんですよ。それでもいいんですか」

「いいですよ」

「待ってくださいよ、ちょっと。私は宮崎さんのためを思って言ってあげているんですよ。宮崎さんは訴訟が始まっても途中で和解ができると思っているかもしれませんが、ウチの弁護士はいったん訴訟が始まったら絶対に途中で和解しない人なんですよ。つまりですね、いったん訴訟が始まったら、もう宮崎さんの本は出なくなるんですよ、それでもいいんですか」

「なんでなんですか」

「私がいいって言っているんだからいいじゃないですか。何がいけないんですか」

「ちょっと私たちの話も聞いてくださいよ」

「そもそもあなた方はどういう立場で今日ここに来ているんですか」

すると彼らはそれぞれ名前を名乗ってから、名刺を郵便受けから差し入れた。

私は床に寝そべり、郵便受けの穴を通して彼らを見た。彼らも中腰になって穴を通して私を見ている。滑稽極まりない図だ。

「私たちは今回の事件で新たに担当になったものです」

「私が聞きたいのはそういうことではないです。もう訴訟は始まっているんですよ。ふつう、いったん訴訟が始まったら、*それ以降は訴訟代理人弁護士以外の人との交渉はしないでしょう。あなたは訴訟代理人弁護士なんですか。違うでしょう」

「弁護士と話したいのなら、弁護士を連れてきますよ。とにかく、その前に私たちの話を聞いてください」

いったん訴訟が始まったら
過去に弁護士をつけて訴訟をしたとき、その弁護士から「訴訟がいったん始まったら、直接相手と連絡しないですべて私を通してください」と釘を

「なんですか、いったい」

「ウチとしてはね、正直に言えば、和解できれば和解するに越したことはないと思っているんですね」

「だって、この手紙に『裁判所の判断に委ねたい』って書いてあるじゃないですか。ということは、話し合いはもうしないってことでしょ。これがあなた方の意向なんでしょ」

「だから言っているでしょう。そこにはそう書いてあるだけで、正直なことを言えば、和解できれば和解するに越したことはないと思ってるって」

「じゃあ、なんでこんな手紙を渡すんですか。素直に『話し合いがしたい』って言えばいいでしょう。先に『裁判所の判断に委ねたい』という手紙を読ませ『これがウチの意向です』と言っておいて、そのあとで『本当は話し合いで和解したい』って、どっちを信じたらいいんですか。正反対のことを同時に伝えられると私も混乱しますよ」

「とりあえずは、ウチとしても和解のために誠実に話し合いに応じますから、いったん訴訟を取り下げてもらえませんか」

「訴訟を取り下げる？　それは無理ですよ」


刺された。そういう経験があったため、訴訟代理人弁護士でもない彼らがアポイントも取らずに2人して拙宅まで交渉に来ること自体が怪しく思え、まともに相手にしなかった。

「だからウチも誠実に話し合うし、宮崎さんの希望どおりにするって約束しますから」

「何を言っているんですか。調停を3回連続で欠席しておいて……。話し合う気がないから調停を3回連続で欠席したんでしょう」

「ああ、あれはちょっとした行き違いがあっただけだったんですよ」

「行き違い?」

「行き違いです。大西から私への引き継ぎがうまくいかなかったんです」

「そんなことはないでしょう。だって裁判所からの通知は社長に行っているはずなんですから。1回目も2回目も3回目も通知は社長のところに行っているはずですよ。3回連続で調停を休んだことを社長はなんと言っているんですか」

「もうそんなことどうでもいいじゃないですか。今、こうして誠心誠意話し合うって言ってるんですから」

どうでもいいわけがない。G出版に3回連続で調停を欠席され、どれだけ私が精神的に追い詰められたことか。私は印紙代も交通費も時間も労力も無駄になった。3回も待ちぼうけを食らわされた。勝手に調停を不調にしておきながら、訴状が届いたら、大慌てでそれを帳消しにしようとしているのではないか。

「宮崎さんに心労をかけたことに関しては、深くお詫び申しあげます」

「社長はこの件に関してなんと言っているんですか。調停に関しては社長に通知が行っているはずですよ」

「もうそんなことどうでもいいじゃないですか。私が代わりに謝罪しているわけですから。無駄になった経費はもちろん弁償しますよ。それから私が謝罪文を書いてきます。そしたら訴訟を取り下げてもらえますか」

「訴訟は取り下げないと言っているでしょう。何度言ったらわかるんですか」

「こちらは宮崎さんが喜びそうな案を考えてあげているんですよ。じつは今、A社から出版することが決まっているんですね。もうこれは絶対に間違いがないことです」

「だって、御社だって絶対に出すって言っていたんですよ。それが出版の直前になってから急に気が変わったわけでしょう。自分たちの社長も説得できないのに、もしA社の社長の気が変わったら、どうするつもりなんですか」

「それについては絶対の責任を負います」

「あなた方はさっきから訴訟を取り下げろ取り下げろって要求していますが、こういうことは口約束だけでは私も安心できないんですよ。本当に反省しているんなら、まずは私が無駄にした経費の弁償をして、それからA社から出版されることに責任を持つということをきちんと紙に書いて渡してください。それから話し合いがしたいのならしたいで、まずはこの手紙を取り消すことを書面に書いてください」

「とりあえず、1回会社に持ち帰って社長と相談してみます。それで明日、私が謝罪文を書いて持ってきます」

「来ないでください。もう訴訟係属*は生じているのですよ。だから被告でも被告代理人でもない人と私が交渉して何かを決めたところで、なんの効力も生じませんよ。どうしても私と話したいなら、きちんと被告代理人を通してください。いいですか、来ないでくださいよ」

「いや、私の謝罪文だけでもお渡しに来ます。それならいいでしょう」

「来ないでくださいって言っているでしょう。来てもいませんよ」

「いいです。謝罪文だけを投函して帰りますから」

「何度言ってもわからないんなら、好きなようにしてください」

「じゃあ、来ていいってことですね」

「来ないでほしいと言っても来るんでしょう。だから好きなようにしてくださ

訴訟係属
裁判所が訴訟法に従って事件を審理する権限を有し、かつその義務を負う状態になることをいい、民事訴訟法上ある事件が裁判所で訴訟中である状態。訴状が被告に送達された時点から開始する。

いって言っているだけです。来ても、私はいませんよ」

「わかりました。ところで宮崎さん、お詫びの印にお菓子を持ってきたんでドアを開けてもらえませんかね。お菓子を渡すだけですから」

「いえ、結構です。お菓子はいりません」

「いえ、私どものお詫びの印ですからぜひお渡ししたいんです」

「しつこい人ですね、あなた方は。どうしてもというなら、そこに置いて帰ってもかまいません。でもドアは開けません」

約1時間のやりとりを終えて、彼らは帰っていった。ドアの穴を通しての会話であったから双方ともそれなりに大きな声を出していた。しかも激しい言い争いだったから、相当ストレスがたまった。

その夜、私は今後の戦略を練るのに精いっぱいだった。翌日、私は再び彼らがやってくるだろうことを見越して、早朝から家を出てホテルに宿泊をすることにした。

彼らの魂胆は訴訟を取り下げさせることにあるのであって、私と和解することが目的ではない。和解したいのなら裁判所でいくらでも話し合いができるはずだが、裁判所以外で話したがるのは彼らの都合のよいように解決しようとしているだけだからだ。

ホテルに一泊した翌日、朝10時ごろに自宅に帰ってみると、インターホンの画像に岡本氏の姿が3枚映し出されていた。時間をあけて3回も来ていたことがわかる。

何がなんでも訴訟を取り下げさせたいのであろう。私はこのあまりの執拗さに恐怖を感じた。画像が撮られた時間をチェックしてみると、私がホテルに一泊した日だけでなく、その日の朝9時半ごろにも来ていたことがわかった。私がもう少し早めに帰っていたらバッタリ鉢合わせするところだった。

（こんなに何度も何度も私の家に来ていたのか。どれだけしつこいのだ）

ストーカーに付きまとわれるのがいかに気味が悪いものかわかった気がした。

謝罪文も投函されていたが、解決案が書かれている書類は入っていなかった。解決案を文書化するのはまずいのだろう。彼らの狙いは、和解ではなく、訴訟の取り下げであることがこのことからもわかる。ここで私が何もしなければ、彼らはどうせまた私の家に来るだろう。そこで私は相手方の訴訟代理人の事務所に直接ファックスを入れることにした。

「貴殿のお手紙を先日、岡本氏から手渡しでいただきました。そのお手紙の中で貴殿は『今回の損害賠償請求事件については裁判所の判断に任せることにしたい』と書かれております。しかし岡本氏と平本氏は突然、拙宅まで訪れ、私に話し合いを求めてきました。

訴訟代理人弁護士と被告の従業員が異なる考えを持ち、それぞれがそれぞれの考えを私に伝えると、私としてはどちらが本当なのか混乱しますので、貴殿におかれましては、今一度、被告のお考えをご確認くださるようお願い申しあげます。また、いったん訴訟代理人弁護士が付いた後は、訴訟代理人弁護士を通して話し合いをするのが正規ルートだと思いますので、今後私に何かご連絡したいことがある場合は貴殿からご連絡いただきたいと存じます。

また、岡本氏と平本氏は、同日、『訴訟を取り下げてもらえないか』という旨、何度も私に依頼しました。突然拙宅まで来られて自らの希望することを延々と述べられても、私も冷静に話し合うこともできませんので、今後は拙宅までお越しにならないようお願い申しあげます」

私がこのファックスを流してから、岡本氏も平本氏も私の家に来るのをやめた。

弁護士から和解したいという連絡が来るかと思ってはいたが、いつまで経っても連絡が来なかった。

やがて第1回口頭弁論の前日に答弁書*が送られてきた。驚くことに、「出版契約は成立していなかった」という大嘘が書かれていた。初版印税を支払っているのにそんな主張がまかり通るはずなどないのに、G出版はいったいどうしてしまったのだ。こんなことを書いてしまったらG出版の敗訴は100％確定ではないか。まだ何か抜け道でもあると思っているのか。

某月某日

満額回答：「裁判記録が公開になるとまずいそうです」

第1回口頭弁論期日がやってきた。開廷は10時だが、9時数分前に裁判所*に着いた。

開廷まで1時間もあるので、30分ほど地下の喫茶室で時間を潰すことにした。喫茶室では新約聖書をぱらぱらとめくった。私は苦しみや哀しみのどん底に落とされたとき新約聖書を開くことにしている。私が今まで発狂せず生きてこられた

答弁書
訴状記載の請求の趣旨に対する答弁や訴状記載の事実に対する認否を記載した書面。私見だが、答弁書に一つでも嘘が含まれているとその後の展開は厳しくなる。嘘をごまかすためにさらに嘘をつかなければならなくなるからだ。G出版も答弁書の中で「出版契約は成立していなかった」と嘘をついたものだから、その後、徐々に論理が破綻していくこととなった。

裁判所
東京地方裁判所の入口の雰囲気は荘厳で薄暗い。何度来てもこの薄暗さには慣れない。私は原告だというのに自分が悪いことをしたかのように感じさせる薄暗さなのだ。

のも新約聖書に負うところが大きい。私はホットコーヒーを少しずつ口に含みながら、勇気を与えてくれる聖句を探した。

「悲しむ人々は、幸いである。その人たちは慰められる」

「義のために迫害される人々は、幸いである。天の国はその人たちのものである」

「身に覚えのないことであらゆる悪口を浴びせられるとき、あなた方は幸いである。喜びなさい。大いに喜びなさい。天には大いに報いがある」

私はこうした聖句を一句一句、意味を噛みしめながら読んだ。

10時数分前に法廷に入った。本人訴訟が初めての私は緊張が頂点に達していた。複数の事件が取り扱われるため、すでに5、6人の人が傍聴席に座っていたが、私の事件が最初に取り扱われることになった。

裁判官は開口一番で私に聞いてきた。

「原告は和解の話し合いをする気はありますか」

（おいおい、いきなり和解を勧めるのか）*

私は答えて言った。

「それは被告次第です。被告が話し合いを求めてきたら話し合いに応じます」

いきなり和解を勧めるのか
裁判官も多くの事件を扱っているから、和解で済ませられるのなら和解で済ませたいのだろう。判決文を書くのはそれだけたいへんなことなのだ。

裁判官は同じことを被告に聞いた。被告は斉藤というG出版の社員弁護士が出頭していた。斉藤弁護士は答えた。

「原告次第です」

裁判官は続いて私に聞いた。

「では、話し合いをしますか」

「いいえ、その前に、まだ私は調停を不調にされたことについて被告に謝罪してもらっていませんから、それが先です。被告は私が今まで無駄にした経費を弁償してくれると言っていたのに、まだ弁償してくれていませんから、それが弁償されたら話し合いに応じます」

「では、とりあえず口頭弁論を続けるということで……」

私は、おやっと思った。正直、私は口頭弁論での争いを続けたいとは思っていなかった。こんな結果がわかっている裁判、ダラダラと続けるなんてバカバカしい。被告とてこんなバカバカしいことに時間と労力を使いたいわけではないだろう。だから被告のほうから即座に「無駄にさせた経費は弁償しますから話し合いに応じてください」と懇願してくるだろうと踏んでいたのだ。ところが被告が沈黙を貫いたため、図らずも口頭弁論はそのまま続行することになってしまった。

裁判官は私に向かってこう言った。

「原告にお願いしたいことは、出版契約が成立していたという証拠を次回の口頭弁論までに提出してほしいということです。あと、事件の経緯を時系列に書いていただけますか」

被告は答弁書で「出版契約は成立していなかった」と主張していたのでこういう流れになってしまったのだが、初版印税が支払われているのだから出版契約が成立していたことなど明白すぎるくらい明白だ。私は被告から受け取ったメールをファイルから取り出しながら裁判官に言った。

「出版契約が成立していたという証拠でしたら、今でも出せますが……」

「いや、今ここでということではなくて、準備書面*として提出してください。では、次回の口頭弁論期日を決めましょう」

こうして第2回口頭弁論期日が決められ、私たちは法廷を出た。私は被告から話しかけられるのではないかと恐れていたため、法廷を出ると駆け足で階段を下りていった。

かくして私とG出版の準備書面での戦いが始まった。

準備書面
日本の民事訴訟において、口頭弁論での主張の準備のために、自らの申し立てを基礎づける主張や、相手方の請求、陳述（答弁、認否、反論等）を記載した書面（民事訴訟法第161条）。訴訟といえば、法廷で丁々発止やりとりするイメージをお持ちの方が多いと思うが、ほとんどの場合、期日前に準備書面を提出しておき、期日に裁判官から「陳述しますか」と訊かれたときに「陳述します」と一言答えるだけである。つまり、大半の訴訟は準備書面のやりとりだけで勝負が決まるといっても過言ではない。

被告第1準備書面におけるG出版の主張は、押印した出版契約書が交わされていないことを根拠に「出版契約そのものが成立していなかった」ということと、「初版印税」として支払った28万5000円はじつは「初版印税」ではなく「翻訳料」であったということだった。「初版印税」を払ったことを認めてしまったら出版契約が成立したことを認めてしまうことになるので、あれは「翻訳料」だったと事実を捻じ曲げてきたのだ。

反論するのは造作もないことであった。というのも、出版契約は諾成契約であり、依頼と承諾の意思さえ合致していれば、出版契約書が交付されていなくても成立するからだ。依頼と承諾の意思が合致していることは火を見るより明らかであり、出版契約書も押印こそしてなかったものの、デジタルデータとして交付してもらってはいた。

また「初版印税」は初版部数×定価×印税率で計算されるものだが、支払われた28万5000円はその計算で算出されたものであった。一方、「翻訳料」の場合は、原稿用紙の枚数×翻訳のレートで計算されるものだが、通常の厚さの本なら100万円から150万円になる。いまさら28万5000円が「翻訳料」だったという嘘など通用するわけはない。

私は第2準備書面で証拠を提示した上で論述した。A4サイズの用紙にワープロで準備書面を作る。ワープロだから推敲は簡単にできるものの、20枚程度の準備書面を書くにはそれ相当の時間と労力がかかる。いいかげん白旗を挙げてくれてもよさそうなものだと思ったが、被告はその後も嘘に嘘を重ねて準備書面を出してきた。

第2回口頭弁論、第3回口頭弁論、第4回口頭弁論……。私は被告の出す嘘だらけの準備書面に毎回反駁（はんばく）し、口頭弁論は淡々と進んでいった。口頭弁論期日には単に次の期日の予定を入れて終わりである。時間にして約1～2分。この繰り返しだった。

第5回口頭弁論では岡本氏から陳述書が提出された。驚くことに私が地獄に堕ちると言わんばかりの著述がなされていた。争点にまったく関係ないこと*をあれこれと書いて私に非難を浴びせかけていたのだ。私がこの陳述書を読んで逆上して名誉棄損行為でもするとでも思っているのだろうか。そしてその名誉棄損行為を逆手にとって私をやっつけてやろうとでも企んでいるのだろうか。

だがそんな愚かなことをする私ではない。たとえ挑発されても私が復讐などすることはないのだ。聖書に「自分で復讐しないで、むしろ、神の怒りに任せなさ

争点にまったく関係ないこと
争点は「出版契約が成立していたか否か」なのに、「わが社の売上げは13年連続で右肩下がりなのにその現実を理解しない宮崎氏は性格が頑なすぎる」とか、「シリーズ本は前作の売行きを見なければ発刊できるか決められない」とか、「調停は意図的に欠席したのではない」とか、「宮崎氏に払ったお金をほかの仕事の収益から穴埋めするのは大変」とか…。おいおいおいおいおい、「争点はぐらかしの術」か!

い。なぜなら、『主が言われる。復讐はわたしのすることである。わたし自身が報復する』」（ローマ人への手紙第12章19節）という聖句があるが、それを何百回も読んで体に染み込ませているのだよ私は。

第6回口頭弁論期日でも、被告は「出版契約が成立していなかった」という主張を曲げなかった。私はすでに原告準備書面を6回も提出しており、ありとあらゆる方面から出版契約が成立していたことを立証していたが、それも知らぬ顔で最後の最後まで知らんぷりを決め込んでいるのである。

裁判官は「次で結審*にします」と言った。すでに心証が形成されたということであろう。私は判決を出してもらってもかまわなかった。というより、もう判決を出してほしいと思い始めていた。1回で終わると思っていたのに、相手方が6回も粘るものだから私もしんどくなってきていた。

第7回目の口頭弁論の日がやってきた。

法廷は10時に開廷する。実際に訴訟関係者が法廷に入れるのは9時50分くらいである。開廷されるや否や私は法廷に入って、被告が来るのを待った。午前の部

結審
裁判ですべての審理が終わること。第2回口頭弁論期日のときに裁判官が「結審までそれほど時間はかかりませんよ」と言っていたので、私はすぐに勝てると思っていた。しかしその後、相手側が枝葉末節なことをつつついたため訴訟が長引いた。この日のこの言葉で、やっと訴訟から解放されると期待が膨らんだ。

だけで5、6件の事件が入っていたが、私の事件は一番最後に入れられていた。おそらく私の事件の番が回ってくるのは10時40分ごろだろう。別の事件が取り扱われている中、私は傍聴席で相手の弁護士が来るのを待っていた。しかしいつまで経っても被告の弁護士は来ない。私は心の中で「頼むから出てこないでくれ」と何度も祈った。来なければ私の勝訴がほぼ確定するからだ。

やがて私の事件の番が来た。書記官が私の名前を呼び、私は返事をして原告席についた。相手方の従業員2名は傍聴席についていたものの、弁護士はまだ来ていなかった。

裁判官は原告席に着いた私にこう話しかけた。

「これは損害賠償金が発生する事件ですね。原告に確認しておきたいのですが、希望額は請求額としてここに書かれてある金額ということでよろしいですか」

訴状を提出するときはその金額が妥当だと思って書いたが、嘘に嘘を重ねられるとその金額が少なく思えるようになってきた。しかしいまさら金額を変えるわけにもいかないだろう。素直に「はい」と返事をしておいた。

そのとき、背の高い初老の男性が法廷に入ってきた。見たことのない人だったので私の事件とは関係のない人だろうと気にも留めなかった。しかし驚くことに彼は被告席に座った。その瞬間、はっと閃いた。

（ああ、これが、あの山下弁護士*なんだな……）

裁判官が準備書面について確認を取った後、山下弁護士は急に立ち上がってこう言った。

「私たちは今回の事件を金銭で解決したいと考えております」

一瞬、何がなんだかわからなかった。私は山下弁護士に向かってこう聞いた。

「どういう意味ですか」

裁判官は私を制して言った。

「それではいったん和解のための話し合いをしましょう。今日、これから時間ありますか」

「はい」

「では、今から1514室に移動して、そこで話し合いをしましょう」

1514室に移る際、山下弁護士は私に近づいてきて私を誉めそやした。

「宮崎さんは緻密ですばらしい準備書面を書かれますなぁ。感心しましたよ」

私に和解をしてもらわなければ困るからおだてているのだろう。そんなことが見抜けないほど私も馬鹿ではない。私と山下弁護士が話しながら横並びで歩いて

あの山下弁護士
この弁護士は訴訟が始まった直後に手紙を送ってきた。私が訴訟を取り下げなかったことに言及して「宮崎さんのためにA社を見つけてあげたのに、提案を一顧だにせずに話し合いを拒絶したのは心外です」と書いてあった。調停を無断欠席して話し合いを拒絶し続けたG出版の弁護士が私に対して「話し合いを拒絶したのは心外です」だなんて、ねえ。

いる後ろに相手方の従業員が2名、ぞろぞろと付いてきていた。

最初は原告、被告とも部屋に呼ばれて、裁判官から、これから和解のための話し合いをすると宣言された。

その後、被告だけが部屋に呼ばれ、私は部屋の外の長いすに座って待っておくように指示された。

数分後、今度は私が部屋に呼ばれた。裁判官は開口一番でこう言った。

「被告は今回の裁判の記録が公開になったらまずいそうです。だから宮崎さんに非公開にしてほしい*とお願いしたいそうです。非公開にしてもらえるのであれば、宮崎さんの希望する額を出すと言っていますが、どうしますか」

（今になってから非公開にしてほしいなんて言いだしているのか。「宮崎さんの希望する額を出す」と言っているらしいが、それも反省した結果として言っているのではなくて、敗訴判決が出て会社の評判が落ちたら困るから言っているだけではないか。結局、最初から最後まで私利私欲だけで動いていただけではないか。だいたい、人に見られたらまずいような準備書面なんか最初から書くなよ。それを読まされるこっちだってしんどいんだよ）

そう思ったものの、満額回答が出るのであれば、これ以上裁判を続けていくの

非公開にしてほしい
民事裁判の記録は原則として誰でも閲覧可能（民事訴訟法91条1項：何人も、裁判所書記官に対し、訴訟記録の閲覧を請求することができる）。したがって、非公開扱いになっていない限り、訴状、答弁書、準備書面、尋問調書、和解調書、判決書などが閲覧できる。当事者名（原告、被告の氏名）がわかる場合は、裁判所の訟廷事務所で事務官がパソコンで係属部や事件番号を調べて教えてくれる。「あとがき」で触れるが、私はある翻訳家の陳述書を実際に閲覧させてもらったことがある。

もしんどい。とっさの提案に十分に考える時間もなかったため、私はふとこう答えた。

「私としては満額回答であれば裁判記録を非公開にしてもいいと思っています。私は被告に反省してもらいたいからこの訴訟を起こしただけなので、被告が満額回答に応じるということは、反省しているという意思表示でしょうから」

「そうですか、じゃあ、それで被告に話してみましょう」

こうして被告が部屋に呼ばれ、私が外で待つことになった。待つこと数分、今度は私が部屋に呼ばれた。裁判官は言った。

「被告は満額回答するらしいです。これで和解ということでいいですか」

私はこれで和解することを決断した。私ももう疲れきっていたのである。

あとからふと思ったが、「宮崎さんの希望する額を出す」と言っていたのは青天井、つまり請求額満額以上の額を求めても応じるという意味だったのだろうか。だったら仮に1億円と言ったら1億円払うつもりだったのだろうか。まあ、理性的かつ合理的な額を求める私はそんな突拍子もない額を求めるつもりなどなかったが。

あとで相手方の弁護士の経歴を調べてみると、2人とも一流大学の法学部出身者であった。私はその２人をたったひとりで倒したのだ。真理は強いのだ。

出版が中止になった翻訳原稿はその後、５つか６つの出版社に持ち込んだが、すべて没になった。出版社回りをする気力も体力も消耗し尽くしてしまっていた私は自費出版することにした。

皮肉なもので「売れそうにない」という理由で出版中止にされたその翻訳書は地道に版を重ね、自費出版費用のすべてが回収されただけでなく、それを超過した印税が入るというオマケまでついた。Ｇ出版がそれを知ったら地団駄(じだんだ)を踏んで悔しがることだろう。

出してみなければ売れるか売れないかはわからないというのに、翻訳がすべて終わった後になってから、勝手に「売れそうにない」と判断して勝手に出版を中止にするからこういうことになるのだ。わっはっはっはっ、これでいいのだ……とハッピーエンドで終わるかと思っていたが、この経験はボディブローのようにじわじわと私を蝕(むしば)んでいくのであった。

某月某日 **トラウマ：そして私は「職業的な死」を迎えた**

F舎との裁判を終えた後、私は新聞恐怖症かつ書店恐怖症になったと書いたが、その症状はその後も何年も続いた。だがそれでもまだ本を出し続けることはできていた。考えてみれば、あれはあの原著者特有の問題であり、あんなことは滅多に（というよりその原著者に関わらない限り）起きはしないのだ。バークリーという哲学者は「存在することは知覚されることである」と主張したが、これは逆にいえば「知覚されないものは存在しない」ということである。これはある意味当たっている。というのもその原著者を思い出させるものに目を触れなければ、少なくとも〝私の世界〟には彼は存在しないことになるからだ。私は新聞や書店を避けることでそれを実践し、成功してきた。〝私の世界〟には彼は存在しないのだ。というより、存在させてやらないのだ。

しかしG出版との裁判で負ったトラウマはそうはいかなかった。というのも出版を中止にされるということはほかの出版社でも十分ありうる話だからである。

実際「シリーズものが不調なので」という理由で出版が中止になったという話は何度か聞いたことがある。

そして私は新聞恐怖症、書店恐怖症に加えて出版社恐怖症にもなってしまったのだった。

（せっかく最後の最後まで訳しても、またなんだかんだと理由をつけて出版が中止になるんじゃないか。そんなとき出版社は「出版契約が成立していなかった」と言い張るだろう。そしたらまた1年かけて裁判をやるのか。もうそんなしんどいことやれないよな。もうこの仕事、辞めるしかないよな）

こんなことを毎日思っていた私は当然、自分から出版社に売り込むのをやめた。そしてそれに伴って仕事がどんどん減っていった。気が付いてみたら、つきあいのある出版社はH社*くらいしかなくなっていた。

そんな折、H社から翻訳書の依頼が入ってきた。ひさしぶりの仕事の依頼だったので是非とも起死回生したいとも思っていたのだが、心に深い闇を抱えていた私はとんでもないことをしでかしてしまった。

H社にて社長と編集担当者と私の3名で打ち合わせをしているとき、出版が正式に決まっているか否かを聞こうと思っていた私は、ついついこんなことを口

H社
40年超の歴史の中堅出版社。近年では中高年向けのエッセイでいくつかのヒットがある。

走ってしまった。

「出版、ひっくり返らないんですか?」

社長はしばらく唖然としていたが、やがて顔を歪めながら言った。

「ひっくり返りはしませんよ〜。ひっくり返ったらそれなりのお金は出しますよ〜」

私はなんて失礼なことを口走ってしまったのかと後悔したが、もう遅かった。

社長はこう返してきた。*

「じゃあ、この本の出版はやめておきましょう。ほかの本を探しましょう」

こうして私はH社の翻訳書の仕事の話を自ら潰してしまった。こんな失礼なことを言ってしまった以上、もうH社から仕事の依頼が来ることもないだろう。ということは……。

私はその夜から悪夢にうなされるようになった。ひどく薄気味悪い夢を見る。それでハッと目覚める。トイレで用を足す。さらに眠る。するとまた悪夢にうなされてハッと目覚める。その繰り返しだった。それが何日か続いた。鏡の中の顔を見るたびにやつれていくのがわかった。何かがおかしくなっている。裁判は一人でできたが、その代償として精神がいかれてしまった。

社長はこう返してきた
同じことを確かめるのにも「出版は正式に決まっているのですか」とでも言えばよかったのだが、トラウマを抱えていた私はついこんな聞き方をしてしまった。社長は気を遣って「ほかの本でやりましょう」と言ってくれたが、それが本心だったのかはわからなかった。

私は人生初のカウンセリングを受けることにした。そうだ、カウンセリングだ。カウンセリングを受けることは恥ずかしいことではない。カウンセラーですらカウンセリングを受けると聞いたことすらある。こんなに悪夢にうなされていたらそれ以外に方法がない。

そう思い立った私はネットで近場のカウンセリングルームを探し、さっそく予約を入れた。

カウンセリングではG出版での苦い思い出を一方的に話した。怒りにとりつかれたようにしゃべりまくった。1時間近くしゃべりまくった後、カウンセラーが言葉をかけてくれた。

「それはつらかったでしょう。宮崎さんは何も悪くはないですよ。私は宮崎さんの気持ちはよくわかりますよ」

その瞬間、まったく予期していなかったことに*、大量の涙が急に噴き出てきた。拭いても拭いてもぬぐいきれないくらい大量に流れ出た。私はひきつるような無様な泣き方をした。

そうだ、私はつらかった。訴訟もずっとひとりだけで戦うのは心細かったし、恐かった。それが今、「宮崎さんの気持ちはよくわかりますよ」と言ってくれる

まったく予期していなかった
カウンセラーといっても所詮は赤の他人である。1時間で1万円近いカウンセリング料を取るわけであるからクライアントに優しい言葉をかけるのは仕事の一部だろう。そんなふうに思っていたので、まさか自分が号泣するとは思ってもいなかった。それがたった一言に条件反射的に涙が噴き出た。それくらい翻訳家にとって出版間際での出版中止は堪えるものなのだ。わかるか、編集者よ！

人が現れた。その一言で私の心の中に蓄積していた膿が一気に飛び出たのだ。

私が泣きやんだころ、カウンセラーが今後はどうしますかと聞いてきた。

「私はもう翻訳書を出すのをやめようと思います。せっかく最後の最後まで訳したのに、なんの理由もなく勝手に出版を中止され、その挙句に地獄に落ちるだのと言われるのだったら、やらないほうがマシです。彼らが考えているのは金だけです。金儲けになりそうにないと判断したら10カ月も仕事をさせていても平気で出版を中止するのです。翻訳家の気持ちなど何も考えていません。そんな金儲けにしか興味のない人たちと一緒に働くことにはもはやなんの興味もありません。私がこれからやるべきことは、私のように陰で泣いている翻訳家を少しでも減らすよう働きかけをすることです。いつかやります。いつかは。どういう形にするかはわかりません。でもやります」

私が出版翻訳家としての「職業的な死」を迎えた瞬間であった。

21歳で夢の夢の、そのまた夢の職業だと憧れ始め、13年もの厳しい修行の末にやっとなれた出版翻訳家だったが、それが幕を閉じた。

こうなったのも問題が山積みする出版業界の現状も一因ではあるが、欲望に惑わされ「関わってはならない」人や出版社に関わってしまった私にも原因があった。愚かだったことは自認しているが、私は私なりにベストを尽くしてきたのであるから未練などない。

「出版翻訳家」としての私は燃え尽きたのだ。

あとがき――今、出版翻訳の仕事を依頼されたら？

30代のころの私は、次から次へと執筆・翻訳の依頼が舞い込み、1年365日フル稼働が当たり前だった。その結果、30代の10年間で50冊ほどの単行本を出すに至った。

が、そんな私もふと気がついてみれば、最後に本を出してから8年以上も経っていた。G出版との間で裁判となった翻訳原稿を自費出版して以降、私は本を出していない。その本も実際に翻訳をしていたのはその2年くらい前だったから実質10年は文筆家・翻訳家としての仕事をしていないことになる。

以前は確定申告の職業欄に「文筆家」と記載していたが、さすがに近年は増刷印税*もまったく入らなくなってしまったので「文筆家」と記載することははばかられる。

では、今の私は職業欄になんと書いているか。

増刷印税
重版時の印税。私は多くの書籍を出しているため、何かしらの本が増刷になるたびに増刷印税が入ってきていた。２０１４年ごろまでは毎年１００万円くらいの増刷印税が入ってきていた。

「警備員」だ。そう、私の現在の職業は警備員なのだ。

過去に何冊かベストセラーを出し、ほうぼうの出版社から執筆・翻訳依頼が次々と舞い込んでいたころ、まさか自分が警備員になるなんて思ってもいなかったし、「若いころに手に職をつけておかなければ、年取ったら警備員になるしかなくなるぞ」などと警備員を揶揄する友人もいた。それが今、私自身が警備員となっているのだから皮肉なものだ。

でも正直に言う。私は警備員であることを恥じてはいない。警備員も世に必要とされている仕事であることに変わりはなく、誠実に任務を果たせばそれなりにやりがいはある。また私がこういう境遇になったのは文筆家・翻訳家という生き延びるのが困難な職業を選んだことが一つの原因だが、その道を選んだのはほかでもない自分なのだからそれを後悔するわけはない。

今、自分の人生を振り返ってみれば、私は文筆家・翻訳家としてトラブルも多く経験したが、60冊近くの単行本を出版してきたし、自分が価値あると認めた本を翻訳しそのうち何冊かはベストセラーにもなった。そのこと自体、私が精一杯生きてきた証だし、ちょっとやそっとでは他人が真似できないことをやったという自負もある。著書や翻訳書を出してきたことは、私の人生で燦然と輝く貴重な体験であり、それができたのであるから後悔などあろうはずがない。

では、かくいう私が、今、出版翻訳の仕事を依頼されたらどうするか。

引き受けないだろう。翻訳の仕事が嫌いになったわけではない。内容が良い本なら訳したいと思うかもしれない。しかしそれでも引き受けないと思う。

その理由は何か。約束を守ってくれることを１００％保証してくれる出版社が見当たらないからである。

逆に言えば、１００％約束を守ってもらえるのであれば（あるいは、やむをえない事情があって約束が守られなかったら守られなかったで誠実な対応をしてくれるのであれば）翻訳を引き受けたい。そんな誠実な出版社からの依頼であれば、私は愛と情熱をたっぷりかけて上等な訳文に磨き上げてみせる。だから誠実さに自信がある出版社はぜひ私に声をかけてほしい。私は誠実この上なく仕事をする。誠実さの「倍返し」をしてみせる。しかし私がこんなことを言っても、名乗りをあげる出版社は現れないだろう。

今は出版不況*なのである。多くの出版社は四苦八苦しているのが現状だ。しかも翻訳書は売れない場合が多い。約束していた印税がカットされるかもしれない。支払い時期が延々と遅らされるかもしれない。出版そのものが中止になるかもし

出版不況
未曾有の出版不況などと言われるが、紙の本はなくしてはならないものだと思う。興味深い実験がある。Ｏ・ヘンリーの小説を紙の本で読ませた学生とキンドルで読ませた学生とを比較したとき、紙の本で読ませた学生のほうが筋を時系列順に正しく再現できたという。逆にデジタル画面では記憶の順序立てが悪化してしまうらしい。紙の本には優れた点が多々あるのである。

れない。

もしもそんなことが起きた場合、個人事業主である翻訳家は泣き寝入りするか裁判するかしかなくなるのだ。裁判はたとえ勝ち目があったにせよ、時間も労力も莫大に費やすし、裁判中に受ける精神的苦痛を考えれば、割の合うものではない。

だからこそ、そんなリスクを負うくらいなら警備員のほうが何倍もいいという結論になるのだ。

7年がかりで訳した1650ページにも及ぶ翻訳書を出版中止にされた翻訳家が「わけもなく涙が出てくることがある。死を考えることすらある」と陳述書に書いているのを見たとき*は胸が張り裂けそうになった。彼のように死の寸前まで追いつめられることもありうるのがこの職業なのだ。

私は本書で、ただ単に自分の不遇を嘆きたかったのではない。私には何がなんでも伝えたかった重要なメッセージがあった。

ひと昔前までの私は金銭欲も名誉欲も旺盛な俗物であった。だからこそ欲望に惑わされて関わってはならない人や出版社と関わり、さまざまな「地獄」に陥った。そしてその「地獄」の底で私は金銭も名誉も幸せを保証するものでないこと

陳述書に書いているのを見たとき
私は私以外にも出版中止の苦しみを味わっている人がいるのではないかと思い、「出版中止」などのキーワードでネット検索してみたところ、出版を中止にされて訴訟まで起こした翻訳家がいるのを知った。裁判所に赴き、その人の裁判記録を閲覧、その実態を知り、驚愕した。

を悟った。

私は本書をお金儲けや名誉欲のために書いたのではない。「天国」も「地獄」も経験した私だからこそ伝えなければならないメッセージがあったから書いたのだ。

翻訳家および翻訳家志望者は、後に「出版翻訳家なんてなるんじゃなかった」と嘆かずに済むよう十分に注意してほしい。

常に翻訳のスキルを向上させなければならないのはもちろんだが、それ以外にも気をつけるべきことは山ほどある。印税に依存しなくても済む経済状態を確保する、信頼できる出版社かどうか見極める、〝好条件〟に惑わされない、仕事に取りかかる前に出版が中止にされそうな内容の本ではないか吟味する、契約内容を明確にした上で仕事を開始する、臆することなく出版契約書*を求める、進捗状況をまめに報告し不安な点があれば相談する、締切を厳守する、本人訴訟ができる程度の法的知識を身につける……。悲劇を未然に防ぐためにできるかぎり理性と知性を働かせてほしい。

編集者は、自分が担当した翻訳家が「出版翻訳家なんてなるんじゃなかった」と嘆くような不誠実な対応をしないでほしい。自分の保身のために翻訳家を泣か

出版契約書
出版社と翻訳家でトラブルが生じる最大の原因は、仕事を開始する前に出版契約書を交わさないことと言えよう。鈴木主税氏もトラブルに関して「どうしてこんなことが起こるのか。それはどうやって防いだらいいのか。答は簡単だし、それは出版

せていたら、一時的には「助かる」ように見えるかもしれないが、それはそう見えるだけの話だ。必ずしっぺ返しが来る。

本書でお話ししたとおり、私に不誠実な対応をした出版社のいくつかは最終的に大きな悲劇に見舞われた。私も苦しんだが、出版社社長も編集者もみな苦しむことになった。不誠実なことをすれば、聖書に「一つの部分が苦しめば、すべての部分が共に苦しむ」（コリントの信徒への手紙1：25）と記されたとおりのことが起きる格好の例である。だからこそ自分が担当する翻訳家を大切にしてほしい。まるで自分自身を愛するかのように。

編集者と翻訳家が手と手を取り合ってお互い誠実に働けば、翻訳家という職業も捨てたものではないと思う。いやいや、「捨てたものではない」どころか「素晴らしい職業」になりうる。

世界にはまだまだ翻訳されていない優れた作品がある。編集者と翻訳家が一丸となって優れた作品を発掘し出版すれば、モノトーンな日常に彩りを加えることができる。そんなスリリングな一面も持っている素晴らしい職業が翻訳家なのだ。

「出版翻訳家になって本当によかった」と言える翻訳家が一人でも増えることを心から祈っている。

関係者の誰もが知っていることです。出版社という法人企業から依頼されて仕事をするとき、かならず契約書を交わすことが答です」（『職業としての翻訳』）と述べている。出版契約時にお互いがざっくばらんに思っていることを口に出し、それで合意できそうならその時点ですべてのことを盛り込んだ出版契約書を交わす。これを実践すればトラブルは激減するだろう。

宮崎伸治◉みやざき・しんじ
1963年広島県生まれ。青山学院大学卒業後、英シェフィールド大学大学院言語学研究科修了。大学職員、英会話講師を経て、出版翻訳家に。著訳書は60冊。英語・翻訳関係の資格23種類を含む、133種類の資格保持。今から8年前、出版業界から足を洗う。

出版翻訳家なんてなるんじゃなかった日記

二〇二〇年 一二月 一日 初版発行

著者 宮崎伸治

発行者 中野長武

発行所 株式会社三五館シンシャ
〒101-0052
東京都千代田区神田小川町2-8 進盛ビル5F
電話 03-6674-8710
http://www.sangokan.com/

発売 フォレスト出版株式会社
〒162-0824
東京都新宿区揚場町2-18 白宝ビル5F
電話 03-5229-5750
https://www.forestpub.co.jp/

印刷・製本 中央精版印刷株式会社

ISBN978-4-86680-912-0